한국어(coréen)

동사(verbe) 290

형용사(adjectif) 137

français(프랑스어)
traduction(번역판)

KB076688

※ 이 책의 폰트는 '함초롬 바탕체'를 사용하였습니다.

< 저자(auteur) >

㈜한글2119연구소

· 연구개발전담부서

· ISO 9001 : 품질경영시스템 인증

· ISO 14001 : 환경경영시스템 인증

· 이메일(email) : gjh0675@naver.com

< 동영상(vidéo) 자료(matériaux) >

HANPUK_français(traduction)
https://www.youtube.com/@HANPUK_French

제 2024153361 호

연구개발전담부서 인정서

1. 전담부서명: 연구개발전담부서

   [소속기업명: (주)한글2119연구소]

2. 소 재 지: 인천광역시 부평구 마장로264번길 33
   상가동 제지하층 제2호 (산곡동, 뉴서울아파트)

3. 신고 연월일: 2024년 05월 02일

과학기술정보통신부

「기초연구진흥 및 기술개발지원에 관한 법률」 제14조의
2제1항 및 같은 법 시행령 제27조제1항에 따라 위와 같이
기업의 연구개발전담부서로 인정합니다.

2024년 5월 13일

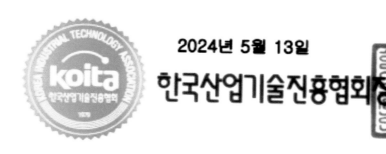

한국산업기술진흥협회장

G-CERTI *Certificate*

hereby certifies that

Hangul 2119 Research Institute Co., Ltd.

Rm. 2, Lower level, Sangga-dong, 33, Majang-ro 264beon-gil, Bupyeong-gu, Incheon, Korea

meets the Standard Requirements & Scope as following

ISO 9001:2015
Quality Management Systems

Creation of Media Content, Publication of Korean Paper and Electronic Textbooks, Production and Release of Albums for Korean Language Education

Certificate No: GIS-6934-QC   Code   : 08, 39
Initial Date   : 2024-05-21   Issue Date   : 2024-05-21
Expiry Date   : 2027-05-20   Valid Period : 2024-05-21 ~ 2027-05-20

Signed for and on behalf of GCERTI
President I. K. Cho

G-CERTi
SYSTEM SERVICE
MSCB-113

IAS ACCREDITED
Management Systems
Certification Body
MSCB-113

Certificate of Registration Certificate of Registration

G-CERTI *Certificate*

hereby certifies that

Hangul 2119 Research Institute Co., Ltd.

Rm. 2, Lower level, Sangga-dong, 33, Majang-ro 264beon-gil, Bupyeong-gu, Incheon, Korea

meets the Standard Requirements & Scope as following

ISO 14001:2015
Environmental Management Systems

Creation of Media Content, Publication
of Korean Paper and Electronic Textbooks, Production and
Release of Albums for Korean Language Education

Certificate No: GIS-6934-EC   Code   : 08, 39
Initial Date   : 2024-05-21   Issue Date   : 2024-05-21
Expiry Date   : 2027-05-20   Valid Period : 2024-05-21 ~ 2027-05-20

Signed for and on behalf of GCERTI
President I K Cho

< 목차(table des matières) >

한국어(coréen)

동사(verbe) 290

(1) 들리다 [deullida]

entendre, s'entendre, être entendu, être perceptible, frapper l'oreille de quelqu'un

Percevoir un son par l'ouïe.

passé : 들리 + 었어요 → 들렸어요
(n.) présent : 들리 + 어요 → 들려요
futur : 들리 + ㄹ 거예요 → 들릴 거예요

(2) 메다 [meda]

porter quelque chose (sur l'épaule, sur le dos)

Mettre un objet sur l'épaule ou sur le dos.

passé : 메 + 었어요 → 멨어요
(n.) présent : 메 + 어요 → 메요
futur : 메 + ㄹ 거예요 → 멜 거예요

(3) 보이다 [boida]

se montrer, apparaître, paraître, se voir, se faire voir, se présenter aux yeux, tomber sous les yeux, entrer dans le champ visuel

(Existence ou apparence d'un objet) Être aperçu avec les yeux.

passé : 보이 + 었어요 → 보였어요
(n.) présent : 보이 + 어요 → 보여요
futur : 보이 + ㄹ 거예요 → 보일 거예요

(4) 귀여워하다 [gwiyeowohada]

affectionner, choyer

Traiter avec tendresse et affection un animal ou une personne qui est plus jeune que soi.

passé : 귀여워하 + 였어요 → 귀여워했어요
(n.) présent : 귀여워하 + 여요 → 귀여워해요
futur : 귀여워하 + ㄹ 거예요 → 귀여워할 거예요

(5) 기뻐하다 [gippeohada]

être content de, se réjouir de, se féliciter de, se délecter

Éprouver de la joie et de la satisfaction.

passé : 기뻐하 + 였어요 → **기뻐했어요**

(n.) présent : 기뻐하 + 여요 → **기뻐해요**

futur : 기뻐하 + ㄹ 거예요 → **기뻐할 거예요**

(6) 놀라다 [nollada]

s'étonner, être surpris, être étonné, être stupéfait

Se tendre ou avoir le coeur qui bat après avoir subi un choc ou par peur.

passé : 놀라 + 았어요 → **놀랐어요**

(n.) présent : 놀라 + 아요 → **놀라요**

futur : 놀라 + ㄹ 거예요 → **놀랄 거예요**

(7) 느끼다 [neukkida]

sentir, ressentir, éprouver

Percevoir une stimulation par les organes de la sensibilité comme le nez ou la peau.

passé : 느끼 + 었어요 → **느꼈어요**

(n.) présent : 느끼 + 어요 → **느껴요**

futur : 느끼 + ㄹ 거예요 → **느낄 거예요**

(8) 슬퍼하다 [seulpeohada]

être triste, être affligé, être chagriné

Avoir le cœur douloureux et en peine, au point d'en avoir les larmes aux yeux.

passé : 슬퍼하 + 였어요 → **슬퍼했어요**

(n.) présent : 슬퍼하 + 여요 → **슬퍼해요**

futur : 슬퍼하 + ㄹ 거예요 → **슬퍼할 거예요**

(9) 싫어하다 [sireohada]

détester

Ne pas aimer quelque chose ou ne pas vouloir d'une chose.

passé : 싫어하 + 였어요 → **싫어했어요**

(n.) présent : 싫어하 + 여요 → **싫어해요**

futur : 싫어하 + ㄹ 거예요 → **싫어할 거예요**

(10) 안되다 [andoeda]

ne pas marcher, ne pas fonctionner, ne pas aller

(Travail, phénomène, etc.) Ne pas bien marcher.

passé : 안되 + 었어요 → **안됐어요**

(n.) présent : 안되 + 어요 → **안돼요**

futur : 안되 + ㄹ 거예요 → **안될 거예요**

(11) 좋아하다 [joahada]

aimer, affectionner, adorer, apprécier

Avoir un bonne sensation au sujet de chose.

passé : 좋아하 + 였어요 → **좋아했어요**

(n.) présent : 좋아하 + 여요 → **좋아해요**

futur : 좋아하 + ㄹ 거예요 → **좋아할 거예요**

(12) 즐거워하다 [jeulgeowohada]

s'amuser, apprécier

Avoir des sentiments agréables et joyeux.

passé : 즐거워하 + 였어요 → **즐거워했어요**

(n.) présent : 즐거워하 + 여요 → **즐거워해요**

futur : 즐거워하 + ㄹ 거예요 → **즐거워할 거예요**

(13) 화나다 [hwanada]

s'énerver, se fâcher, s'irriter

Devenir fâché à cause du mécontentement et d'une forte insatisfaction.

passé : 화나 + 았어요 → **화났어요**

(n.) présent : 화나 + 아요 → **화나요**

futur : 화나 + ㄹ 거예요 → **화날 거예요**

(14) 화내다 [hwanaeda]

s'énerver, se fâcher, s'irriter

Manifester un sentiment de colère en raison d'un fort mécontentement.

passé : 화내 + 었어요 → **화냈어요**

(n.) présent : 화내 + 어요 → **화내요**

futur : 화내 + ㄹ 거예요 → **화낼 거예요**

(15) 자랑하다 [jaranghada]

Pas d'expression équivalente

Se vanter d'une personne ou d'une chose devant les autres.

passé : 자랑하 + 였어요 → **자랑했어요**

(n.) présent : 자랑하 + 여요 → **자랑해요**

futur : 자랑하 + ㄹ 거예요 → **자랑할 거예요**

(16) 조심하다 [josimhada]

prendre garde, se mettre en garde, prendre des précautions, se méfier de

Faire attention à ses propos, à son comportement, etc., pour éviter un mal.

passé : 조심하 + 였어요 → **조심했어요**

(n.) présent : 조심하 + 여요 → **조심해요**

futur : 조심하 + ㄹ 거예요 → **조심할 거예요**

(17) 늙다 [neukda]

vieillir, avancer en âge, prendre de l'âge, se faire vieux, devenir vieux

Devenir très âgé.

passé : 늙 + 었어요 → 늙었어요
(n.) présent : 늙 + 어요 → 늙어요
futur : 늙 + 을 거예요 → 늙을 거예요

(18) 못생기다 [motsaenggida]

laid, disgracieux

Dont la physionomie est inférieure à la normalité (sur le plan esthétique).

passé : 못생기 + 었어요 → 못생겼어요
(n.) présent : 못생기 + 어요 → 못생겨요
futur : 못생기 + ㄹ 거예요 → 못생길 거예요

(19) 빼다 [ppaeda]

faire perdre

Diminuer la chair, le poids, etc.

passé : 빼 + 었어요 → 뺐어요
(n.) présent : 빼 + 어요 → 빼요
futur : 빼 + ㄹ 거예요 → 뺄 거예요

(20) 잘생기다 [jalsaenggida]

beau

(Personne) Dont les traits du visage sont beaux.

passé : 잘생기 + 었어요 → 잘생겼어요
(n.) présent : 잘생기 + 어요 → 잘생겨요
futur : 잘생기 + ㄹ 거예요 → 잘생길 거예요

(21) 찌다 [jjida]

grossir, empâter, engraisser

Devenir gros en prenant du poids.

passé : 찌 + 었어요 → **쪘어요**
(n.) présent : 찌 + 어요 → **쪄요**
futur : 찌 + ㄹ 거예요 → **찔 거예요**

(22) 못하다 [motada]

ne pas pouvoir, être incapable de

Travailler de façon à ne pas atteindre un critère donné ou être incapable d'effectuer un travail.

passé : 못하 + 였어요 → **못했어요**
(n.) présent : 못하 + 여요 → **못해요**
futur : 못하 + ㄹ 거예요 → **못할 거예요**

(23) 잘못하다 [jalmotada]

faire une erreur, être fautif, être en faute

Se tromper ou ne pas faire une chose de la bonne manière.

passé : 잘못하 + 였어요 → **잘못했어요**
(n.) présent : 잘못하 + 여요 → **잘못해요**
futur : 잘못하 + ㄹ 거예요 → **잘못할 거예요**

(24) 잘하다 [jalhada]

bien (+verbe), être bon en

Faire une chose de manière habile et avec talent.

passé : 잘하 + 였어요 → **잘했어요**
(n.) présent : 잘하 + 여요 → **잘해요**
futur : 잘하 + ㄹ 거예요 → **잘할 거예요**

(25) 가다 [gada]

aller, se rendre, s'en aller, passer, partir

Se déplacer d'un endroit à un autre.

passé : 가 + 았어요 → **갔어요**
(n.) présent : 가 + 아요 → **가요**
futur : 가 + ㄹ 거예요 → **갈 거예요**

(26) 가리키다 [garikida]

indiquer, pointer

Montrer une direction ou un objet avec le doigt ou un objet pour que quelqu'un d'autre puisse s'en rendre compte.

passé : 가리키 + 었어요 → **가리켰어요**
(n.) présent : 가리키 + 어요 → **가리켜요**
futur : 가리키 + ㄹ 거예요 → **가리킬 거예요**

(27) 감다 [gamda]

(se) laver

Nettoyer les cheveux ou le corps avec de l'eau.

passé : 감 + 았어요 → **감았어요**
(n.) présent : 감 + 아요 → **감아요**
futur : 감 + 을 거예요 → **감을 거예요**

(28) 걷다 [geotda]

marcher

Se déplacer au moyen de pas alternés.

passé : 걷 + 었어요 → **걸었어요**
(n.) présent : 걷 + 어요 → **걸어요**
futur : 걷 + 을 거예요 → **걸을 거예요**

(29) 걸어가다 [georeogada]

marcher, aller à pied, se rendre à pied

Avancer vers une destination en faisant l'usage de ses jambes.

passé : 걸어가 + 았어요 → **걸어갔어요**
(n.) présent : 걸어가 + 아요 → **걸어가요**
futur : 걸어가 + ㄹ 거예요 → **걸어갈 거예요**

(30) 걸어오다 [georeooda]

marcher, venir à pied

Venir à une destination en faisant usage de ses jambes.

passé : 걸어오 + 았어요 → **걸어왔어요**
(n.) présent : 걸어오 + 아요 → **걸어와요**
futur : 걸어오 + ㄹ 거예요 → **걸어올 거예요**

(31) 꺼내다 [kkeonaeda]

retirer, sortir, enlever, extraire, ôter

Prendre un objet à l'intérieur de quelque chose, et le placer dehors.

passé : 꺼내 + 었어요 → **꺼냈어요**
(n.) présent : 꺼내 + 어요 → **꺼내요**
futur : 꺼내 + ㄹ 거예요 → **꺼낼 거예요**

(32) 나오다 [naoda]

sortir dehors, sortir de

Aller de l'intérieur à l'extérieur.

passé : 나오 + 았어요 → **나왔어요**
(n.) présent : 나오 + 아요 → **나와요**
futur : 나오 + ㄹ 거예요 → **나올 거예요**

(33) 내려가다 [naeryeogada]
descendre

Aller de haut en bas.

passé : 내려가 + 았어요 → 내려갔어요
(n.) présent : 내려가 + 아요 → 내려가요
futur : 내려가 + ㄹ 거예요 → 내려갈 거예요

(34) 내려오다 [naeryeoooda]
descendre, venir d'un endroit plus élevé

Venir d'un endroit en hauteur à un autre plus bas, ou du haut vers le bas.

passé : 내려오 + 았어요 → 내려왔어요
(n.) présent : 내려오 + 아요 → 내려와요
futur : 내려오 + ㄹ 거예요 → 내려올 거예요

(35) 넘어지다 [neomeojida]
tomber, se renverser, être renversé, s'écrouler, choir, chuter, trébucher, s'effondrer

(Personne ou objet qui se tenait debout) Perdre l'équilibre, pencher vers un côté et tomber.

passé : 넘어지 + 었어요 → 넘어졌어요
(n.) présent : 넘어지 + 어요 → 넘어져요
futur : 넘어지 + ㄹ 거예요 → 넘어질 거예요

(36) 넣다 [neota]
poser, mettre, placer, insérer, introduire

Faire entrer dans un espace.

passé : 넣 + 었어요 → 넣었어요
(n.) présent : 넣 + 어요 → 넣어요
futur : 넣 + 을 거예요 → 넣을 거예요

(37) 놓다 [nota]

lâcher, relâcher

Laisser échapper un objet tenu dans ses mains en les ouvrant ou en relâchant son étreinte.

passé : 놓 + 았어요 → 놓았어요

(n.) présent : 놓 + 아요 → 놓아요

futur : 놓 + 을 거예요 → 놓을 거예요

(38) 누르다 [nureuda]

presser, appuyer sur, pousser, maintenir, appuyer, tenir

Exercer une pression sur le dessus de l'ensemble ou d'une partie d'un objet.

passé : 누르 + 었어요 → 눌렀어요

(n.) présent : 누르 + 어요 → 눌러요

futur : 누르 + ㄹ 거예요 → 누를 거예요

(39) 달리다 [dallida]

courir, accourir vers, se hâter, se précipiter

Aller ou venir vite en courant.

passé : 달리 + 었어요 → 달렸어요

(n.) présent : 달리 + 어요 → 달려요

futur : 달리 + ㄹ 거예요 → 달릴 거예요

(40) 던지다 [deonjida]

lancer, envoyer, projeter

Faire partir en l'air un objet tenu dans ses mains en bougeant ses bras.

passé : 던지 + 었어요 → 던졌어요

(n.) présent : 던지 + 어요 → 던져요

futur : 던지 + ㄹ 거예요 → 던질 거예요

(41) 돌리다 [dollida]

tourner, faire tourner

Faire bouger quelque chose en le faisant décrire des cercles.

passé : 돌리 + 었어요 → 돌렸어요
(n.) présent : 돌리 + 어요 → 돌려요
futur : 돌리 + ㄹ 거예요 → 돌릴 거예요

(42) 듣다 [deutda]

entendre, écouter, ouïr

Reconnaître un son par l'ouïe.

passé : 듣 + 었어요 → 들었어요
(n.) présent : 듣 + 어요 → 들어요
futur : 듣 + 을 거예요 → 들을 거예요

(43) 들어가다 [deureogada]

entrer, pénétrer, arriver, s'engager, s'enfoncer

Passer de l'extérieur à l'intérieur d'un lieu.

passé : 들어가 + 았어요 → 들어갔어요
(n.) présent : 들어가 + 아요 → 들어가요
futur : 들어가 + ㄹ 거예요 → 들어갈 거예요

(44) 들어오다 [deureooda]

entrer, pénétrer

Se déplacer de l'extérieur à l'intérieur d'un champ.

passé : 들어오 + 았어요 → 들어왔어요
(n.) présent : 들어오 + 아요 → 들어와요
futur : 들어오 + ㄹ 거예요 → 들어올 거예요

(45) 뛰다 [ttwida]

courir, s'élancer, se précipiter, se jeter vers, se lancer, galoper, trotter, filer, bondir, cavaler, pourchasser

Bouger rapidement les pieds pour avancer vite.

passé : 뛰 + 었어요 → 뛰었어요
(n.) présent : 뛰 + 어요 → 뛰어요
futur : 뛰 + ㄹ 거예요 → 뛸 거예요

(46) 뛰어가다 [ttwieogada]

courir

Aller vite vers un endroit en courant.

passé : 뛰어가 + 았어요 → 뛰어갔어요
(n.) présent : 뛰어가 + 아요 → 뛰어가요
futur : 뛰어가 + ㄹ 거예요 → 뛰어갈 거예요

(47) 뜨다 [tteuda]

s'éveiller, se réveiller, ouvrir, germer

Ouvrir les yeux.

passé : 뜨 + 었어요 → 떴어요
(n.) présent : 뜨 + 어요 → 떠요
futur : 뜨 + ㄹ 거예요 → 뜰 거예요

(48) 만지다 [manjida]

toucher, palper, tâter

Mettre sa main au contact de quelque chose ou de quelqu'un et le bouger.

passé : 만지 + 었어요 → 만졌어요
(n.) présent : 만지 + 어요 → 만져요
futur : 만지 + ㄹ 거예요 → 만질 거예요

(49) 미끄러지다 [mikkeureojida]

glisser, tomber en glissant, déraper, faire une glissade,
glisser de la main de, échapper des mains de

Sortir d'un endroit glissant en étant entraîné d'un côté ou tomber de ce côté.

passé : 미끄러지 + 었어요 → 미끄러졌어요
(n.) présent : 미끄러지 + 어요 → 미끄러져요
futur : 미끄러지 + ㄹ 거예요 → 미끄러질 거예요

(50) 밀다 [milda]

pousser, repousser, avancer

Donner un coup dans quelque chose pour la faire bouger, en frappant dans la direction opposée à celle voulue.

passé : 밀 + 었어요 → 밀었어요
(n.) présent : 밀 + 어요 → 밀어요
futur : 밀 + ㄹ 거예요 → 밀 거예요

(51) 바라보다 [baraboda]

voir, porter le regard sur, contempler, observer, scruter

Regarder droit devant.

passé : 바라보 + 았어요 → 바라봤어요
(n.) présent : 바라보 + 아요 → 바라봐요
futur : 바라보 + ㄹ 거예요 → 바라볼 거예요

(52) 보다 [boda]

voir, regarder, distinguer, apercevoir, percevoir, remarquer, repérer, constater

Reconnaître visuellement l'existence, l'apparence d'un objet.

passé : 보 + 았어요 → 봤어요
(n.) présent : 보 + 아요 → 봐요
futur : 보 + ㄹ 거예요 → 볼 거예요

(53) 서다 [seoda]

être debout, se tenir debout

(Homme ou animal) Redresser son corps en posant ses pieds (pattes) sur le sol.

passé : 서 + 었어요 → **섰어요**
(n.) présent : 서 + 어요 → **서요**
futur : 서 + ㄹ 거예요 → **설 거예요**

(54) 쉬다 [swida]

(se) reposer, se délasser, prendre du repos, faire une pause, se relaxer, se décontracter

Se détendre pour se débarrasser de la fatigue.

passé : 쉬 + 었어요 → **쉬었어요**
(n.) présent : 쉬 + 어요 → **쉬어요**
futur : 쉬 + ㄹ 거예요 → **쉴 거예요**

(55) 안다 [anda]

embrasser, prendre quelqu'un dans les bras, étreindre, serrer (dans les bras)

Attirer quelqu'un ou quelque chose vers soi dans ses bras ou le faire rester entre ses bras.

passé : 안 + 았어요 → **안았어요**
(n.) présent : 안 + 아요 → **안아요**
futur : 안 + 을 거예요 → **안을 거예요**

(56) 앉다 [anda]

s'asseoir

Poser son corps sur un objet ou sur le sol en mettant son poids au niveau de ses fesses, en gardant son buste droit.

passé : 앉 + 았어요 → **앉았어요**
(n.) présent : 앉 + 아요 → **앉아요**
futur : 앉 + 을 거예요 → **앉을 거예요**

(57) 오다 [oda]

venir, arriver, apparaître

(Quelque chose) Bouger d'un lieu à celui où l'on se trouve.

passé : 오 + 았어요 → 왔어요
(n.) présent : 오 + 아요 → 와요
futur : 오 + ㄹ 거예요 → 올 거예요

(58) 올라가다 [ollagada]

monter, grimper, escalader

Aller de bas en haut, vers un lieu plus élevé.

passé : 올라가 + 았어요 → 올라갔어요
(n.) présent : 올라가 + 아요 → 올라가요
futur : 올라가 + ㄹ 거예요 → 올라갈 거예요

(59) 올라오다 [ollaoda]

monter, grimper, escalader

Aller de bas en un lieu plus élevé.

passé : 올라오 + 았어요 → 올라왔어요
(n.) présent : 올라오 + 아요 → 올라와요
futur : 올라오 + ㄹ 거예요 → 올라올 거예요

(60) 울다 [ulda]

pleurer, verser des larmes, vagir, sangloter

Ne pas pouvoir se contenir et faire tomber des larmes de tristesse, de souffrance ou d'une très grande joie ; émettre des sons en faisant ainsi tomber des larmes.

passé : 울 + 었어요 → 울었어요
(n.) présent : 울 + 어요 → 울어요
futur : 울 + ㄹ 거예요 → 울 거예요

(61) 움직이다 [umjigida]

bouger, (se) mouvoir, faire mouvoir, remuer

(Position ou posture) Changer ; modifier une position ou une posture.

passé : 움직이 + 었어요 → **움직였어요**
(n.) présent : 움직이 + 어요 → **움직여요**
futur : 움직이 + ㄹ 거예요 → **움직일 거예요**

(62) 웃다 [utda]

rire, sourire

(Visage) S'épanouir complètement, ou faire du bruit quand on est heureux ou content, ou lorsque quelque chose est amusant.

passé : 웃 + 었어요 → **웃었어요**
(n.) présent : 웃 + 어요 → **웃어요**
futur : 웃 + 을 거예요 → **웃을 거예요**

(63) 일어나다 [ireonada]

se lever

S'asseoir depuis une position couchée, ou se mettre debout depuis une position assise.

passé : 일어나 + 았어요 → **일어났어요**
(n.) présent : 일어나 + 아요 → **일어나요**
futur : 일어나 + ㄹ 거예요 → **일어날 거예요**

(64) 일어서다 [ireoseoda]

se lever

Se mettre debout depuis une position assise.

passé : 일어서 + 었어요 → **일어섰어요**
(n.) présent : 일어서 + 어요 → **일어서요**
futur : 일어서 + ㄹ 거예요 → **일어설 거예요**

(65) 잡다 [japda]

attraper

Tenir dans la main et ne pas lâcher.

passé : 잡 + 았어요 → **잡았어요**
(n.) présent : 잡 + 아요 → **잡아요**
futur : 잡 + 을 거예요 → **잡을 거예요**

(66) 접다 [jeopda]

rabattre, replier

Plier une pièce d'étoffe, de papier, etc., pour la mettre en double.

passé : 접 + 었어요 → **접었어요**
(n.) présent : 접 + 어요 → **접어요**
futur : 접 + 을 거예요 → **접을 거예요**

(67) 지나가다 [jinagada]

passer

Aller à travers un endroit.

passé : 지나가 + 았어요 → **지나갔어요**
(n.) présent : 지나가 + 아요 → **지나가요**
futur : 지나가 + ㄹ 거예요 → **지나갈 거예요**

(68) 지르다 [jireuda]

crier, hurler

Pousser un cri à voix haute.

passé : 지르 + 었어요 → **질렀어요**
(n.) présent : 지르 + 어요 → **질러요**
futur : 지르 + ㄹ 거예요 → **지를 거예요**

(69) 차다 [chada]

frapper, botter, tirer

Frapper ou soulever énergiquement quelque chose en étendant le pied.

passé : 차 + 았어요 → **찼어요**
(n.) présent : 차 + 아요 → **차요**
futur : 차 + ㄹ 거예요 → **찰 거예요**

(70) 쳐다보다 [cheodaboda]

lever les yeux (sur)

Regarder quelque chose du bas vers le haut.

passé : 쳐다보 + 았어요 → **쳐다봤어요**
(n.) présent : 쳐다보 + 아요 → **쳐다봐요**
futur : 쳐다보 + ㄹ 거예요 → **쳐다볼 거예요**

(71) 치다 [chida]

frapper, battre

Faire en sorte que la main ou un objet heurte fortement quelque chose.

passé : 치 + 었어요 → **쳤어요**
(n.) présent : 치 + 어요 → **쳐요**
futur : 치 + ㄹ 거예요 → **칠 거예요**

(72) 흔들다 [heundeulda]

secouer, agiter

Faire bouger quelque chose de manière répétée à gauche, à droite, vers l'avant et l'arrière.

passé : 흔들 + 었어요 → **흔들었어요**
(n.) présent : 흔들 + 어요 → **흔들어요**
futur : 흔들 + ㄹ 거예요 → **흔들 거예요**

(73) 기억나다 [gieongnada]

se souvenir, se remémorer

Se rappeler un aspect, des événements, des faits, des connaissances, ou une expérience, etc. passé(e)(s).

passé : 기억나 + 았어요 → **기억났어요**
(n.) présent : 기억나 + 아요 → **기억나요**
futur : 기억나 + ㄹ 거예요 → **기억날 거예요**

(74) 모르다 [moreuda]

ignorer, ne pas savoir, ne pas connaître

Ne pas connaître ou comprendre une personne, un objet, un fait, etc.

passé : 모르 + 았어요 → **몰랐어요**
(n.) présent : 모르 + 아요 → **몰라요**
futur : 모르 + ㄹ 거예요 → **모를 거예요**

(75) 믿다 [mitda]

croire, croire à

Penser que quelque chose est correct ou vrai.

passé : 믿 + 었어요 → **믿었어요**
(n.) présent : 믿 + 어요 → **믿어요**
futur : 믿 + 을 거예요 → **믿을 거예요**

(76) 바라다 [barada]

souhaiter, vouloir, désirer, espérer

Souhaiter que quelque chose se produise, comme on y pensait ou comme on l'espérait.

passé : 바라 + 았어요 → **바랐어요**
(n.) présent : 바라 + 아요 → **바라요**
futur : 바라 + ㄹ 거예요 → **바랄 거예요**

(77) 보이다 [boida]

montrer, laisser voir, laisser paraître, faire preuve de

Faire en sorte que quelqu'un s'aperçoive de l'existence ou de l'apparence d'un objet avec les yeux.

passé : 보이 + 었어요 → **보였어요**
(n.) présent : 보이 + 어요 → **보여요**
futur : 보이 + ㄹ 거예요 → **보일 거예요**

(78) 생각나다 [saenggangnada]

venir à l'esprit, revenir

(Nouvelle idée) Se manifester chez quelqu'un.

passé : 생각나 + 았어요 → **생각났어요**
(n.) présent : 생각나 + 아요 → **생각나요**
futur : 생각나 + ㄹ 거예요 → **생각날 거예요**

(79) 알다 [alda]

savoir, connaître, apprendre

Acquérir une information ou une connaissance sur un objet ou sur une situation par l'éducation, l'expérience, la réflexion, etc.

passé : 알 + 았어요 → **알았어요**
(n.) présent : 알 + 아요 → **알아요**
futur : 알 + ㄹ 거예요 → **알 거예요**

(80) 알리다 [allida]

informer, annoncer, apprendre, avertir, faire connaître, faire part, aviser, mettre au courant de, notifier, prévenir, signaler, porter à la connaissance de, rappeler, remémorer

Faire comprendre ou faire savoir à quelqu'un ce que il ne savait pas ou avait oublié.

passé : 알리 + 었어요 → **알렸어요**
(n.) présent : 알리 + 어요 → **알려요**
futur : 알리 + ㄹ 거예요 → **알릴 거예요**

(81) 외우다 [oeuda]

apprendre par cœur, mémoriser

Se souvenir de paroles, de textes, etc. sans les oublier.

passé : 외우 + 었어요 → 외웠어요
(n.) présent : 외우 + 어요 → 외워요
futur : 외우 + ㄹ 거예요 → 외울 거예요

(82) 원하다 [wonhada]

désirer, vouloir, attendre

Souhaiter une chose, ou tenir à faire quelque chose.

passé : 원하 + 였어요 → 원했어요
(n.) présent : 원하 + 여요 → 원해요
futur : 원하 + ㄹ 거예요 → 원할 거예요

(83) 잊다 [itda]

oublier, ne plus se souvenir

Ne pas se souvenir ou ne pas réussir à se souvenir d'une chose que l'on savait.

passé : 잊 + 었어요 → 잊었어요
(n.) présent : 잊 + 어요 → 잊어요
futur : 잊 + 을 거예요 → 잊을 거예요

(84) 잊어버리다 [ijeobeorida]

oublier, ne plus se souvenir

Ne pas se souvenir ou ne pas réussir à se souvenir d'une chose que l'on savait.

passé : 잊어버리 + 었어요 → 잊어버렸어요
(n.) présent : 잊어버리 + 어요 → 잊어버려요
futur : 잊어버리 + ㄹ 거예요 → 잊어버릴 거예요

(85) 기르다 [gireuda]

élever, cultiver, nourrir, entretenir

Donner à des végétaux ou à des animaux de la nourriture ou des éléments nutritifs, les protéger et les élever.

passé : 기르 + 었어요 → **길렀어요**
(n.) présent : 기르 + 어요 → **길러요**
futur : 기르 + ㄹ 거예요 → **기를 거예요**

(86) 살다 [salda]

vivre

Être en vie.

passé : 살 + 았어요 → **살았어요**
(n.) présent : 살 + 아요 → **살아요**
futur : 살 + ㄹ 거예요 → **살 거예요**

(87) 죽다 [jukda]

mourir, décéder, trépasser, périr, s'éteindre, y rester, se tuer, crever, être rappelé à Dieu, quitter ce monde

(Être vivant) Perdre la vie.

passé : 죽 + 었어요 → **죽었어요**
(n.) présent : 죽 + 어요 → **죽어요**
futur : 죽 + 을 거예요 → **죽을 거예요**

(88) 지내다 [jinaeda]

passer du temps, vivre

Séjourner ou vivre dans un certain état ou condition.

passé : 지내 + 었어요 → **지냈어요**
(n.) présent : 지내 + 어요 → **지내요**
futur : 지내 + ㄹ 거예요 → **지낼 거예요**

(89) 태어나다 [taeeonada]

naître, venir au monde

(Humain, animal, etc.) Sortir du ventre de la mère dans une forme intègre.

passé : 태어나 + 았어요 → **태어났어요**
(n.) présent : 태어나 + 아요 → **태어나요**
futur : 태어나 + ㄹ 거예요 → **태어날 거예요**

(90) 감다 [gamda]

fermer

Couvrir les yeux avec les paupières.

passé : 감 + 았어요 → **감았어요**
(n.) présent : 감 + 아요 → **감아요**
futur : 감 + 을 거예요 → **감을 거예요**

(91) 깨다 [kkaeda]

(se) réveiller

Recouvrer ses esprits après un somme ; rendre ainsi.

passé : 깨 + 었어요 → **깼어요**
(n.) présent : 깨 + 어요 → **깨요**
futur : 깨 + ㄹ 거예요 → **깰 거예요**

(92) 꾸다 [kkuda]

rêver

Voir, entendre et ressentir dans un rêve comme si c'était la réalité, pendant le sommeil.

passé : 꾸 + 었어요 → **꾸었어요**
(n.) présent : 꾸 + 어요 → **꾸어요**
futur : 꾸 + ㄹ 거예요 → **꿀 거예요**

(93) 눕다 [nupda]

se coucher, s'étendre, s'allonger, se mettre (au lit)

(Homme ou animal) S'étendre de tout son long en mettant son dos ou son flanc au contact d'une surface.

passé : 눕 + 었어요 → 누웠어요
(n.) présent : 눕 + 어요 → 누워요
futur : 눕 + ㄹ 거예요 → 누울 거예요

(94) 다녀오다 [danyeooda]

revenir, rentrer

Se rendre dans un lieu et retourner à son point de départ.

passé : 다녀오 + 았어요 → 다녀왔어요
(n.) présent : 다녀오 + 아요 → 다녀와요
futur : 다녀오 + ㄹ 거예요 → 다녀올 거예요

(95) 다니다 [danida]

fréquenter, aller régulièrement, se rendre régulièrement

Fréquenter un lieu de manière régulière.

passé : 다니 + 었어요 → 다녔어요
(n.) présent : 다니 + 어요 → 다녀요
futur : 다니 + ㄹ 거예요 → 다닐 거예요

(96) 닦다 [dakda]

frotter

Frotter pour faire disparaître la saleté.

passé : 닦 + 았어요 → 닦았어요
(n.) présent : 닦 + 아요 → 닦아요
futur : 닦 + 을 거예요 → 닦을 거예요

(97) 씻다 [ssitda]

laver, se laver, nettoyer

Faire disparaître la crasse ou la saleté de quelque chose pour le purifier.

passé : 씻 + 었어요 → 씻었어요
(n.) présent : 씻 + 어요 → 씻어요
futur : 씻 + 을 거예요 → 씻을 거예요

(98) 일어나다 [ireonada]

se lever

Se réveiller de son sommeil.

passé : 일어나 + 았어요 → 일어났어요
(n.) présent : 일어나 + 아요 → 일어나요
futur : 일어나 + ㄹ 거예요 → 일어날 거예요

(99) 자다 [jada]

dormir, sommeiller, faire un somme

Se mettre dans un état dans lequel on se repose pendant un certain temps en fermant les yeux et en cessant toute activité du corps et de l'esprit.

passé : 자 + 았어요 → 잤어요
(n.) présent : 자 + 아요 → 자요
futur : 자 + ㄹ 거예요 → 잘 거예요

(100) 잠자다 [jamjada]

dormir

(Corps et esprit) Cesser son activité et se reposer pendant un moment.

passé : 잠자 + 았어요 → 잠잤어요
(n.) présent : 잠자 + 아요 → 잠자요
futur : 잠자 + ㄹ 거예요 → 잠잘 거예요

(101) 주무시다 [jumusida]
Pas d'expression équivalente
(forme honorifique) Dormir.

passé : 주무시 + 었어요 → **주무셨어요**
(n.) présent : 주무시 + 어요 → **주무셔요**
futur : 주무시 + ㄹ 거예요 → **주무실 거예요**

(102) 구경하다 [gugyeonghada]
visiter, regarder, assister à
Regarder quelque chose avec intérêt.

passé : 구경하 + 였어요 → **구경했어요**
(n.) présent : 구경하 + 여요 → **구경해요**
futur : 구경하 + ㄹ 거예요 → **구경할 거예요**

(103) 그리다 [geurida]
dessiner, peindre
Représenter un objet par des traits ou des couleurs, à l'aide d'un crayon, d'un pinceau, etc.

passé : 그리 + 었어요 → **그렸어요**
(n.) présent : 그리 + 어요 → **그려요**
futur : 그리 + ㄹ 거예요 → **그릴 거예요**

(104) 노래하다 [noraehada]
chanter
Chanter à haute voix une musique composée sur des paroles écrites en vers

passé : 노래하 + 였어요 → **노래했어요**
(n.) présent : 노래하 + 여요 → **노래해요**
futur : 노래하 + ㄹ 거예요 → **노래할 거예요**

(105) 놀다 [nolda]

jouer, s'amuser

Vivre de façon amusante et joyeuse en jouant, etc.

passé : 놀 + 았어요 → 놀았어요
(n.) présent : 놀 + 아요 → 놀아요
futur : 놀 + ㄹ 거예요 → 놀 거예요

(106) 독서하다 [dokseohada]

lire

Lire un livre.

passé : 독서하 + 였어요 → 독서했어요
(n.) présent : 독서하 + 여요 → 독서해요
futur : 독서하 + ㄹ 거예요 → 독서할 거예요

(107) 등산하다 [deungsanhada]

faire de l'alpinisme, faire une ascension en montagne

Monter sur une montagne en guise de loisir ou d'activité sportive.

passé : 등산하 + 였어요 → 등산했어요
(n.) présent : 등산하 + 여요 → 등산해요
futur : 등산하 + ㄹ 거예요 → 등산할 거예요

(108) 부르다 [bureuda]

chanter, fredonner, chantonner

Chanter en suivant une mélodie.

passé : 부르 + 었어요 → 불렀어요
(n.) présent : 부르 + 어요 → 불러요
futur : 부르 + ㄹ 거예요 → 부를 거예요

(109) 불다 [bulda]

souffler, jouer d'un instrument à vent

Mettre sa bouche sur un instrument à vent et expirer dedans pour en jouer.

passé : 불 + 었어요 → **불었어요**
(n.) présent : 불 + 어요 → **불어요**
futur : 불 + ㄹ 거예요 → **불 거예요**

(110) 산책하다 [sanchaekada]

se promener, faire une promenade

Marcher lentement dans les environs se reposer ou pour conserver la santé.

passé : 산책하 + 였어요 → **산책했어요**
(n.) présent : 산책하 + 여요 → **산책해요**
futur : 산책하 + ㄹ 거예요 → **산책할 거예요**

(111) 수영하다 [suyeonghada]

nager

Nager dans l'eau.

passé : 수영하 + 였어요 → **수영했어요**
(n.) présent : 수영하 + 여요 → **수영해요**
futur : 수영하 + ㄹ 거예요 → **수영할 거예요**

(112) 여행하다 [yeohaenghada]

voyager, faire un voyage

Se déplacer dans une autre région ou un autre pays que le sien en le visitant un peu partout.

passé : 여행하 + 였어요 → **여행했어요**
(n.) présent : 여행하 + 여요 → **여행해요**
futur : 여행하 + ㄹ 거예요 → **여행할 거예요**

(113) 운동하다 [undonghada]

faire de l'exercice, faire du sport

Bouger le corps pour s'entraîner physiquement ou améliorer sa santé.

passé : 운동하 + 였어요 → 운동했어요
(n.) présent : 운동하 + 여요 → 운동해요
futur : 운동하 + ㄹ 거예요 → 운동할 거예요

(114) 즐기다 [jeulgida]

s'amuser à

Profiter au maximum de quelque chose de manière joyeuse.

passé : 즐기 + 었어요 → 즐겼어요
(n.) présent : 즐기 + 어요 → 즐겨요
futur : 즐기 + ㄹ 거예요 → 즐길 거예요

(115) 찍다 [jjikda]

photographier, filmer

Prendre quelque chose en photo et transférer son image sur un film.

passé : 찍 + 었어요 → 찍었어요
(n.) présent : 찍 + 어요 → 찍어요
futur : 찍 + 을 거예요 → 찍을 거예요

(116) 추다 [chuda]

danser

Effectuer des pas de danse.

passé : 추 + 었어요 → 췄어요
(n.) présent : 추 + 어요 → 춰요
futur : 추 + ㄹ 거예요 → 출 거예요

(117) 춤추다 [chumchuda]

danser

Mouvoir le corps en suivant la musique ou un rythme régulier.

passé : 춤추 + 었어요 → **춤췄어요**
(n.) présent : 춤추 + 어요 → **춤춰요**
futur : 춤추 + ㄹ 거예요 → **춤출 거예요**

(118) 켜다 [kyeoda]

jouer de

Émettre un son en frottant les cordes d'un instrument avec le crin d'un archet .

passé : 켜 + 었어요 → **켰어요**
(n.) présent : 켜 + 어요 → **켜요**
futur : 켜 + ㄹ 거예요 → **켤 거예요**

(119) 타다 [tada]

Pas d'expression équivalente

Bouger sur une balançoire, une bascule, etc.

passé : 타 + 았어요 → **탔어요**
(n.) présent : 타 + 아요 → **타요**
futur : 타 + ㄹ 거예요 → **탈 거예요**

(120) 검사하다 [geomsahada]

inspecter, vérifier, contrôler, examiner, réviser, analyser

Découvrir ce qui est vrai ou faux, bon ou mauvais en étudiant une situation ou une chose.

passé : 검사하 + 였어요 → **검사했어요**
(n.) présent : 검사하 + 여요 → **검사해요**
futur : 검사하 + ㄹ 거예요 → **검사할 거예요**

(121) 고치다 [gochida]

soigner, traiter

Guérir une maladie.

passé : 고치 + 었어요 → **고쳤어요**
(n.) présent : 고치 + 어요 → **고쳐요**
futur : 고치 + ㄹ 거예요 → **고칠 거예요**

(122) 바르다 [bareuda]

appliquer, enduire

Mettre uniformément un liquide ou de la poudre sur la surface de quelque chose et le frotter.

passé : 바르 + 았어요 → **발랐어요**
(n.) présent : 바르 + 아요 → **발라요**
futur : 바르 + ㄹ 거예요 → **바를 거예요**

(123) 수술하다 [susulhada]

opération, intervention chirurgicale

Inciser, couper, lier, coudre une partie du corps pour soigner une maladie.

passé : 수술하 + 였어요 → **수술했어요**
(n.) présent : 수술하 + 여요 → **수술해요**
futur : 수술하 + ㄹ 거예요 → **수술할 거예요**

(124) 입원하다 [ibwonhada]

être hospitalisé

Séjourner dans un hôpital pendant une certaine durée en vue de soigner une maladie.

passé : 입원하 + 였어요 → **입원했어요**
(n.) présent : 입원하 + 여요 → **입원해요**
futur : 입원하 + ㄹ 거예요 → **입원할 거예요**

(125) 퇴원하다 [toewonhada]

sortir d'hôpital

(Patient qui séjournait à l'hôpital pendant une certaine durée pour y recevoir des soins) En sortir.

passé : 퇴원하 + 였어요 → **퇴원했어요**
(n.) présent : 퇴원하 + 여요 → **퇴원해요**
futur : 퇴원하 + ㄹ 거예요 → **퇴원할 거예요**

(126) 먹다 [meokda]

manger, prendre

Mettre de la nourriture dans sa bouche et l'avaler.

passé : 먹 + 었어요 → **먹었어요**
(n.) présent : 먹 + 어요 → **먹어요**
futur : 먹 + 을 거예요 → **먹을 거예요**

(127) 마시다 [masida]

boire, prendre une boisson

Absorber un liquide tel que de l'eau par la gorge.

passé : 마시 + 었어요 → **마셨어요**
(n.) présent : 마시 + 어요 → **마셔요**
futur : 마시 + ㄹ 거예요 → **마실 거예요**

(128) 굽다 [gupda]

griller, rôtir

Cuire un aliment au feu.

passé : 굽 + 었어요 → **구웠어요**
(n.) présent : 굽 + 어요 → **구워요**
futur : 굽 + ㄹ 거예요 → **구울 거예요**

(129) 깎다 [kkakda]

éplucher, peler, tailler, raboter, couper

Enlever la surface d'un objet, peler un fruit, etc. de manière fine avec un outil comme un couteau, etc.

passé : 깎 + 았어요 → 깎았어요
(n.) présent : 깎 + 아요 → 깎아요
futur : 깎 + 을 거예요 → 깎을 거예요

(130) 끓다 [kkeulta]

bouillir, être en ébullition, bouillonner

Avoir des bulles ou de la mousse qui remonte(nt) d'un liquide très chaud.

passé : 끓 + 었어요 → 끓었어요
(n.) présent : 끓 + 어요 → 끓어요
futur : 끓 + 을 거예요 → 끓을 거예요

(131) 끓이다 [kkeurida]

cuire, préparer

Mettre des aliments dans de l'eau ou dans un liquide et faire chauffer le tout pour en faire un plat.

passé : 끓이 + 었어요 → 끓였어요
(n.) présent : 끓이 + 어요 → 끓여요
futur : 끓이 + ㄹ 거예요 → 끓일 거예요

(132) 볶다 [bokda]

griller, sauter, rotir (viande), torréfier (café), poêler

Mettre un aliment presque sans eaux sur le feu et le faire cuire en le remuant fréquemment.

passé : 볶 + 았어요 → 볶았어요
(n.) présent : 볶 + 아요 → 볶아요
futur : 볶 + 을 거예요 → 볶을 거예요

(133) 섞다 [seokda]

mêler, brasser, mélanger

Assembler deux ou plusieurs choses à la fois dans un endroit.

passé : 섞 + 었어요 → **섞었어요**

(n.) présent : 섞 + 어요 → **섞어요**

futur : 섞 + 을 거예요 → **섞을 거예요**

(134) 썰다 [sseolda]

découper

Couper une chose ou la mettre en morceaux, en plaçant dessus un couteau, une scie, etc., et en appuyant sur la lame horizontalement.

passé : 썰 + 었어요 → **썰었어요**

(n.) présent : 썰 + 어요 → **썰어요**

futur : 썰 + ㄹ 거예요 → **썰 거예요**

(135) 씹다 [ssipda]

mâcher

(Homme ou animal) Placer un aliment dans la bouche et le découper en morceaux ou le broyer avec les dents.

passé : 씹 + 었어요 → **씹었어요**

(n.) présent : 씹 + 어요 → **씹어요**

futur : 씹 + 을 거예요 → **씹을 거예요**

(136) 익다 [ikda]

cuire

(Viande, fruit, céréale, etc. cru(e)) Être chauffé et voir son goût et sa nature changer.

passé : 익 + 었어요 → **익었어요**

(n.) présent : 익 + 어요 → **익어요**

futur : 익 + 을 거예요 → **익을 거예요**

(137) 찌다 [jjida]

étuver, poêler

Chauffer ou cuire un plat à la vapeur chaude.

passé : 찌 + 었어요 → **쪘어요**
(n.) présent : 찌 + 어요 → **쪄요**
futur : 찌 + ㄹ 거예요 → **찔 거예요**

(138) 타다 [tada]

brûler, griller

Trop cuire au point d'être noirci par la chaleur.

passé : 타 + 았어요 → **탔어요**
(n.) présent : 타 + 아요 → **타요**
futur : 타 + ㄹ 거예요 → **탈 거예요**

(139) 튀기다 [twigida]

frire

Faire gonfler dans de l'huile chauffante.

passé : 튀기 + 었어요 → **튀겼어요**
(n.) présent : 튀기 + 어요 → **튀겨요**
futur : 튀기 + ㄹ 거예요 → **튀길 거예요**

(140) 갈아입다 [garaipda]

se changer, changer (d'habits, de vêtements)

Enlever ses vêtements pour en mettre d'autres.

passé : 갈아입 + 었어요 → **갈아입었어요**
(n.) présent : 갈아입 + 어요 → **갈아입어요**
futur : 갈아입 + 을 거예요 → **갈아입을 거예요**

(141) 끼다 [kkida]

mettre, passer, porter

Enfiler ou planter une chose pour qu'elle reste accrochée et ne s'enlève pas.

passé : 끼 + 었어요 → **꼈어요**
(n.) présent : 끼 + 어요 → **껴요**
futur : 끼 + ㄹ 거예요 → **낄 거예요**

(142) 매다 [maeda]

nouer, lacer

Lier les deux extrémités d'une corde ou d'un fil pour qu'elles ne se séparent pas ou ne se dénouent pas.

passé : 매 + 었어요 → **맸어요**
(n.) présent : 매 + 어요 → **매요**
futur : 매 + ㄹ 거예요 → **맬 거예요**

(143) 벗다 [beotda]

ôter, enlever, retirer, se débarrasser, se déshabiller

Enlever un objet, un vêtement, etc. qu'on porte.

passé : 벗 + 었어요 → **벗었어요**
(n.) présent : 벗 + 어요 → **벗어요**
futur : 벗 + 을 거예요 → **벗을 거예요**

(144) 신다 [sinda]

porter, mettre

Placer le pied dans une chaussure, une chaussette, etc. et le couvrir en entier ou en partie.

passé : 신 + 었어요 → **신었어요**
(n.) présent : 신 + 어요 → **신어요**
futur : 신 + 을 거예요 → **신을 거예요**

(145) 쓰다 [sseuda]

porter, mettre, prendre, se couvrir, se coiffer (d'un chapeau)

Avoir sur sa tête un chapeau ou une perruque.

passé : 쓰 + 었어요 → 썼어요

(n.) présent : 쓰 + 어요 → 써요

futur : 쓰 + ㄹ 거예요 → 쓸 거예요

(146) 입다 [ipda]

porter, s'habiller

Se vêtir ou ceindre son corps d'un vêtement.

passé : 입 + 었어요 → 입었어요

(n.) présent : 입 + 어요 → 입어요

futur : 입 + 을 거예요 → 입을 거예요

(147) 차다 [chada]

porter, mettre

Suspendre, accrocher ou enfiler quelque chose autour de la hanche, du poignet ou de la cheville.

passé : 차 + 았어요 → 찼어요

(n.) présent : 차 + 아요 → 차요

futur : 차 + ㄹ 거예요 → 찰 거예요

(148) 기르다 [gireuda]

laisser pousser

Se laisser pousser les cheveux ou la moutache.

passé : 기르 + 었어요 → 길렀어요

(n.) présent : 기르 + 어요 → 길러요

futur : 기르 + ㄹ 거예요 → 기를 거예요

(149) 깎다 [kkakda]

tondre, faucher, raser

Couper court des herbes, des poils, etc.

passé : 깎 + 았어요 → **깎았어요**
(n.) présent : 깎 + 아요 → **깎아요**
futur : 깎 + 을 거예요 → **깎을 거예요**

(150) 드라이하다 [deuraihada]

sécher

Sécher ou se coiffer les cheveux en utilisant un appareil électrique qui souffle de l'air.

passé : 드라이하 + 였어요 → **드라이했어요**
(n.) présent : 드라이하 + 여요 → **드라이해요**
futur : 드라이하 + ㄹ 거예요 → **드라이할 거예요**

(151) 면도하다 [myeondohada]

se raser, se faire raser

Couper la barbe, la moustache ou de petits poils sur le visage ou sur le corps.

passé : 면도하 + 였어요 → **면도했어요**
(n.) présent : 면도하 + 여요 → **면도해요**
futur : 면도하 + ㄹ 거예요 → **면도할 거예요**

(152) 빗다 [bitda]

peigner, brosser

Arranger les cheveux ou les poils avec un peigne, la main, etc.

passé : 빗 + 었어요 → **빗었어요**
(n.) présent : 빗 + 어요 → **빗어요**
futur : 빗 + 을 거예요 → **빗을 거예요**

(153) 염색하다 [yeomsaekada]

teindre

Effectuer une coloration permanente d'une étoffe, de fils ou de cheveux.

passé : 염색하 + 였어요 → **염색했어요**
(n.) présent : 염색하 + 여요 → **염색해요**
futur : 염색하 + ㄹ 거예요 → **염색할 거예요**

(154) 이발하다 [ibalhada]

(se) coiffer (les cheveux), aller chez le coiffeur

Couper et arranger les cheveux.

passé : 이발하 + 였어요 → **이발했어요**
(n.) présent : 이발하 + 여요 → **이발해요**
futur : 이발하 + ㄹ 거예요 → **이발할 거예요**

(155) 파마하다 [pamahada]

(se) faire une permanente

Boucler ou lisser les cheveux avec une machine ou un produit, pour les maintenir longtemps dans cet état.

passé : 파마하 + 였어요 → **파마했어요**
(n.) présent : 파마하 + 여요 → **파마해요**
futur : 파마하 + ㄹ 거예요 → **파마할 거예요**

(156) 화장하다 [hwajanghada]

se maquiller

Mettre en valeur les qualités esthétiques du visage par l'application de produits cosmétiques.

passé : 화장하 + 였어요 → **화장했어요**
(n.) présent : 화장하 + 여요 → **화장해요**
futur : 화장하 + ㄹ 거예요 → **화장할 거예요**

(157) 이사하다 [isahada]
déménager, emménager

Quitter son lieu de vie et se déplacer vers un autre endroit.

passé : 이사하 + 였어요 → **이사했어요**
(n.) présent : 이사하 + 여요 → **이사해요**
futur : 이사하 + ㄹ 거예요 → **이사할 거예요**

(158) 머무르다 [meomureuda]
demeurer, rester

S'arrêter au milieu ou séjourner temporairement dans un endroit.

passé : 머무르 + 었어요 → **머물렀어요**
(n.) présent : 머무르 + 어요 → **머물러요**
futur : 머무르 + ㄹ 거예요 → **머무를 거예요**

(159) 묵다 [mukda]
séjourner, passer la nuit

Rester quelque part en tant qu'hôte

passé : 묵 + 었어요 → **묵었어요**
(n.) présent : 묵 + 어요 → **묵어요**
futur : 묵 + 을 거예요 → **묵을 거예요**

(160) 숙박하다 [sukbakada]
être hébergé

Dormir et séjourner dans une auberge, un hôtel, etc.

passé : 숙박하 + 였어요 → **숙박했어요**
(n.) présent : 숙박하 + 여요 → **숙박해요**
futur : 숙박하 + ㄹ 거예요 → **숙박할 거예요**

(161) 체류하다 [cheryuhada]

séjourner

Demeurer quelque temps dans un endroit en partant de chez soi.

passé : 체류하 + 였어요 → **체류했어요**

(n.) présent : 체류하 + 여요 → **체류해요**

futur : 체류하 + ㄹ 거예요 → **체류할 거예요**

(162) 걸다 [geolda]

pendre, suspendre, accrocher, tendre

Attacher une chose à une autre afin que celle-ci ne tombe pas.

passé : 걸 + 었어요 → **걸었어요**

(n.) présent : 걸 + 어요 → **걸어요**

futur : 걸 + ㄹ 거예요 → **걸 거예요**

(163) 고치다 [gochida]

réparer

Remettre en état ce qui était en panne ou hors d'usage.

passé : 고치 + 었어요 → **고쳤어요**

(n.) présent : 고치 + 어요 → **고쳐요**

futur : 고치 + ㄹ 거예요 → **고칠 거예요**

(164) 끄다 [kkeuda]

éteindre, étouffer

Empêcher un feu de brûler.

passé : 끄 + 었어요 → **껐어요**

(n.) présent : 끄 + 어요 → **꺼요**

futur : 끄 + ㄹ 거예요 → **끌 거예요**

(165) 빨다 [ppalda]

laver

Éliminer les tâches d'un vêtement, etc., en le mettant dans l'eau et en le frottant à la main, ou à l'aide d'une machine à laver.

passé : 빨 + 았어요 → **빨았어요**

(n.) présent : 빨 + 아요 → **빨아요**

futur : 빨 + ㄹ 거예요 → **빨 거예요**

(166) 설거지하다 [seolgeojihada]

faire la vaiselle

Nettoyer et ranger la vaisselle après avoir mangé de la nourriture.

passé : 설거지하 + 였어요 → **설거지했어요**

(n.) présent : 설거지하 + 여요 → **설거지해요**

futur : 설거지하 + ㄹ 거예요 → **설거지할 거예요**

(167) 세탁하다 [setakada]

faire la lessive, laver le linge

Laver des vêtements sales, etc.

passé : 세탁하 + 였어요 → **세탁했어요**

(n.) présent : 세탁하 + 여요 → **세탁해요**

futur : 세탁하 + ㄹ 거예요 → **세탁할 거예요**

(168) 정리하다 [jeongnihada]

arranger, ranger, mettre en ordre

Rassembler ou débarrasser quelque chose qui est dispersé ou désordonné.

passé : 정리하 + 였어요 → **정리했어요**

(n.) présent : 정리하 + 여요 → **정리해요**

futur : 정리하 + ㄹ 거예요 → **정리할 거예요**

(169) 청소하다 [cheongsohada]

nettoyer

Enlever proprement les choses sales et désagréables.

passé : 청소하 + 였어요 → **청소했어요**
(n.) présent : 청소하 + 여요 → **청소해요**
futur : 청소하 + ㄹ 거예요 → **청소할 거예요**

(170) 켜다 [kyeoda]

allumer, mettre le feu

Mettre le feu à une lampe, une bougie ou allumer une allumette, un briquet.

passé : 켜 + 었어요 → **켰어요**
(n.) présent : 켜 + 어요 → **켜요**
futur : 켜 + ㄹ 거예요 → **켤 거예요**

(171) 말리다 [mallida]

sécher, dessécher

Faire s'évaporer et complètement disparaître l'humidité.

passé : 말리 + 었어요 → **말렸어요**
(n.) présent : 말리 + 어요 → **말려요**
futur : 말리 + ㄹ 거예요 → **말릴 거예요**

(172) 삶다 [samda]

faire bouillir

Mettre quelque chose dans l'eau et le porter à ébullition.

passé : 삶 + 았어요 → **삶았어요**
(n.) présent : 삶 + 아요 → **삶아요**
futur : 삶 + 을 거예요 → **삶을 거예요**

(173) 쓸다 [sseulda]

balayer

Pousser des choses pour les rassembler et les enlever.

passé : 쓸 + 었어요 → 쓸었어요

(n.) présent : 쓸 + 어요 → 쓸어요

futur : 쓸 + ㄹ 거예요 → 쓸 거예요

(174) 가져가다 [gajeogada]

emporter

Transporter avec soi un objet d'un lieu à un autre lieu.

passé : 가져가 + 았어요 → 가져갔어요

(n.) présent : 가져가 + 아요 → 가져가요

futur : 가져가 + ㄹ 거예요 → 가져갈 거예요

(175) 가져오다 [gajeooda]

apporter

Déplacer un objet d'un endroit à un autre.

passé : 가져오 + 았어요 → 가져왔어요

(n.) présent : 가져오 + 아요 → 가져와요

futur : 가져오 + ㄹ 거예요 → 가져올 거예요

(176) 거절하다 [geojeolhada]

refuser, rejeter, repousser, décliner

Ne pas accepter une demande, une proposition, un cadeau etc.

passé : 거절하 + 였어요 → 거절했어요

(n.) présent : 거절하 + 여요 → 거절해요

futur : 거절하 + ㄹ 거예요 → 거절할 거예요

(177) 걸다 [geolda]

téléphoner, appeler, donner un coup de téléphone, passer un coup de téléphone, donner un coup de fil

Communiquer avec quelqu'un par téléphone.

passé : 걸 + 었어요 → **걸었어요**
(n.) présent : 걸 + 어요 → **걸어요**
futur : 걸 + ㄹ 거예요 → **걸 거예요**

(178) 기다리다 [gidarida]

attendre, patienter, temporiser, espérer, prévoir

Faire passer le temps jusqu'à ce qu'une personne ou le moment vienne, ou que quelque chose se réalise.

passé : 기다리 + 었어요 → **기다렸어요**
(n.) présent : 기다리 + 어요 → **기다려요**
futur : 기다리 + ㄹ 거예요 → **기다릴 거예요**

(179) 나누다 [nanuda]

discuter ensemble

S'échanger des propos, une histoire, des salutations, etc.

passé : 나누 + 었어요 → **나눴어요**
(n.) présent : 나누 + 어요 → **나눠요**
futur : 나누 + ㄹ 거예요 → **나눌 거예요**

(180) 데려가다 [deryeogada]

emmener, conduire, se faire accompagner par, accompagner

Mener quelqu'un avec soi d'un lieu à un autre.

passé : 데려가 + 았어요 → **데려갔어요**
(n.) présent : 데려가 + 아요 → **데려가요**
futur : 데려가 + ㄹ 거예요 → **데려갈 거예요**

(181) 데려오다 [deryeooda]

amener, ramener

Faire venir quelqu'un avec soi.

passé : 데려오 + 았어요 → **데려왔어요**
(n.) présent : 데려오 + 아요 → **데려와요**
futur : 데려오 + ㄹ 거예요 → **데려올 거예요**

(182) 데이트하다 [deiteuhada]

fréquenter quelqu'un, avoir rendez-vous avec

(Homme et femme) Se rencontrer dans le but de sortir ensemble.

passé : 데이트하 + 였어요 → **데이트했어요**
(n.) présent : 데이트하 + 여요 → **데이트해요**
futur : 데이트하 + ㄹ 거예요 → **데이트할 거예요**

(183) 도와주다 [dowajuda]

aider, assister, secourir, seconder

Apporter son concours ou son soutien à quelqu'un pour faire quelque chose.

passé : 도와주 + 었어요 → **도와줬어요**
(n.) présent : 도와주 + 어요 → **도와줘요**
futur : 도와주 + ㄹ 거예요 → **도와줄 거예요**

(184) 돌려주다 [dollyeojuda]

rendre, renvoyer

Rendre ou rembourser au propriétaire ou à la personne à qui l'on doit de l'argent qu'on a emprunté, enlevé ou reçu.

passé : 돌려주 + 었어요 → **돌려줬어요**
(n.) présent : 돌려주 + 어요 → **돌려줘요**
futur : 돌려주 + ㄹ 거예요 → **돌려줄 거예요**

(185) 돕다 [dopda]

aider, secourir, prêter son aide, assister, seconder, appuyer, donner un coup de main

Apporter son concours ou son soutien à quelqu'un pour faire quelque chose.

passé : 돕 + 았어요 → 도왔어요
(n.) présent : 돕 + 아요 → 도와요
futur : 돕 + ㄹ 거예요 → 도울 거예요

(186) 드리다 [deurida]

Pas d'expression équivalente

(forme honorifique) 주다. Verbe auxiliaire indiquant que l'on offre quelque chose à quelqu'un pour qu'il en prenne possession ou l'utilise.

passé : 드리 + 었어요 → 드렸어요
(n.) présent : 드리 + 어요 → 드려요
futur : 드리 + ㄹ 거예요 → 드릴 거예요

(187) 만나다 [mannada]

renc
ter, retrouver, rejoindre, voir

Aller ou venir à quelqu'un et se retrouver face à face.

passé : 만나 + 았어요 → 만났어요
(n.) présent : 만나 + 아요 → 만나요
futur : 만나 + ㄹ 거예요 → 만날 거예요

(188) 바꾸다 [bakkuda]

changer, changer de, modifier, remplacer, substituer quelqu'un à quelqu'un, substituer quelque chose à quelque chose, transformer quelque chose en quelque chose, transborder

Faire disparaître ce qui existait au départ et le remplacer par autre chose.

passé : 바꾸 + 었어요 → 바꿨어요
(n.) présent : 바꾸 + 어요 → 바꿔요
futur : 바꾸 + ㄹ 거예요 → 바꿀 거예요

(189) 받다 [batda]

recevoir, percevoir, obtenir, recueillir, prendre, toucher, empocher, toucher, encaisser

Prendre ce que quelqu'un a donné ou envoyé.

passé : 받 + 았어요 → 받았어요
(n.) présent : 받 + 아요 → 받아요
futur : 받 + 을 거예요 → 받을 거예요

(190) 방문하다 [bangmunhada]

rendre visite à

Se rendre à un endroit pour voir quelqu'un ou quelque chose.

passé : 방문하 + 였어요 → 방문했어요
(n.) présent : 방문하 + 여요 → 방문해요
futur : 방문하 + ㄹ 거예요 → 방문할 거예요

(191) 보내다 [bonaeda]

envoyer, expédier, transporter, adresser, transmettre, faire parvenir, laisser partir

Faire se déplacer une personne ou un objet à un autre endroit.

passé : 보내 + 었어요 → 보냈어요
(n.) présent : 보내 + 어요 → 보내요
futur : 보내 + ㄹ 거예요 → 보낼 거예요

(192) 보다 [boda]

voir, apprécier, contempler

Prendre plaisir à regarder un objet ou l'apprécier visuellement.

passé : 보 + 았어요 → 봤어요
(n.) présent : 보 + 아요 → 봐요
futur : 보 + ㄹ 거예요 → 볼 거예요

(193) 뵈다 [boeda]

voir, rencontrer

Rencontrer un supérieur.

passé : 뵈 + 었어요 → **뵀어요**
(n.) présent : 뵈 + 어요 → **봬요**
futur : 뵈 + ㄹ 거예요 → **뵐 거예요**

(194) 부탁하다 [butakada]

faire une demande, solliciter une faveur, solliciter

Demander de faire quelque chose ou confier quelque chose à quelqu'un.

passé : 부탁하 + 였어요 → **부탁했어요**
(n.) présent : 부탁하 + 여요 → **부탁해요**
futur : 부탁하 + ㄹ 거예요 → **부탁할 거예요**

(195) 사귀다 [sagwida]

se fréquenter, devenir ami, sortir avec quelqu'un

Mieux se connaître avec quelqu'un à en devenir proche.

passé : 사귀 + 었어요 → **사귀었어요**
(n.) présent : 사귀 + 어요 → **사귀어요**
futur : 사귀 + ㄹ 거예요 → **사귈 거예요**

(196) 세배하다 [sebaehada]

Pas d'expression équivalente

Se prosterner à l'occasion du nouvel an lunaire devant les anciens de la famille pour les saluer.

passé : 세배하 + 였어요 → **세배했어요**
(n.) présent : 세배하 + 여요 → **세배해요**
futur : 세배하 + ㄹ 거예요 → **세배할 거예요**

(197) 소개하다 [sogaehada]

présenter, recommander

Nouer une relation entre des gens qui ne se connaissent pas pour qu'ils fassent connaissance les uns les autres.

passé : 소개하 + 였어요 → **소개했어요**
(n.) présent : 소개하 + 여요 → **소개해요**
futur : 소개하 + ㄹ 거예요 → **소개할 거예요**

(198) 신청하다 [sincheonghada]

demander, s'inscrire, être candidat

Demander officiellement une chose à un groupe ou une organisation.

passé : 신청하 + 였어요 → **신청했어요**
(n.) présent : 신청하 + 여요 → **신청해요**
futur : 신청하 + ㄹ 거예요 → **신청할 거예요**

(199) 실례하다 [sillyehada]

être impoli, manquer de politesse, être indiscret

(Propos ou comportement) Ne pas être poli.

passé : 실례하 + 였어요 → **실례했어요**
(n.) présent : 실례하 + 여요 → **실례해요**
futur : 실례하 + ㄹ 거예요 → **실례할 거예요**

(200) 싸우다 [ssauda]

se disputer, se quereller, se brouiller, se chamailler

Avoir un différend avec quelqu'un dans lequel on cherche à l'emporter par la parole ou par la force.

passé : 싸우 + 었어요 → **싸웠어요**
(n.) présent : 싸우 + 어요 → **싸워요**
futur : 싸우 + ㄹ 거예요 → **싸울 거예요**

(201) 안내하다 [annaehada]

informer, renseigner, indiquer

Présenter un contenu pour le faire connaître.

passé : 안내하 + 였어요 → **안내했어요**
(n.) présent : 안내하 + 여요 → **안내해요**
futur : 안내하 + ㄹ 거예요 → **안내할 거예요**

(202) 약속하다 [yaksokada]

promettre, s'engager à, donner sa parole, faire une promesse, prendre l'engagement de, être d'accord

Décider à l'avance de faire quelque chose avec quelqu'un.

passé : 약속하 + 였어요 → **약속했어요**
(n.) présent : 약속하 + 여요 → **약속해요**
futur : 약속하 + ㄹ 거예요 → **약속할 거예요**

(203) 얻다 [eotda]

obtenir, recevoir, acquérir, prendre, gagner

Se faire donner quelque chose sans aucun effort ou prix particulier.

passé : 얻 + 었어요 → **얻었어요**
(n.) présent : 얻 + 어요 → **얻어요**
futur : 얻 + 을 거예요 → **얻을 거예요**

(204) 연락하다 [yeollakada]

communiquer, contacter, correspondre avec quelqu'un, prendre contact avec quelqu'un, appeler, atteindre, toucher, joindre, entrer en contact avec quelqu'un

Faire savoir quelque chose à quelqu'un.

passé : 연락하 + 였어요 → **연락했어요**
(n.) présent : 연락하 + 여요 → **연락해요**
futur : 연락하 + ㄹ 거예요 → **연락할 거예요**

(205) 이기다 [igida]

gagner, remporter, gagner la victoire, vaincre, triompher de, l'emporter sur

Lors d'un pari, d'un match, d'une lutte, etc., battre la partie adverse et obtenir un meilleur résultat qu'elle.

passé : 이기 + 었어요 → **이겼어요**
(n.) présent : 이기 + 어요 → **이겨요**
futur : 이기 + ㄹ 거예요 → **이길 거예요**

(206) 인사하다 [insahada]

saluer

Montrer de la politesse en rencontrant ou en se séparant de quelqu'un.

passé : 인사하 + 였어요 → **인사했어요**
(n.) présent : 인사하 + 여요 → **인사해요**
futur : 인사하 + ㄹ 거예요 → **인사할 거예요**

(207) 전하다 [jeonhada]

transmettre, donner, adresser, remettre

Faire passer quelque chose à quelqu'un.

passé : 전하 + 였어요 → **전했어요**
(n.) présent : 전하 + 여요 → **전해요**
futur : 전하 + ㄹ 거예요 → **전할 거예요**

(208) 정하다 [jeonghada]

décider, déterminer, choisir, convenir de, fixer

Choisir un parmi plusieurs.

passé : 정하 + 였어요 → **정했어요**
(n.) présent : 정하 + 여요 → **정해요**
futur : 정하 + ㄹ 거예요 → **정할 거예요**

(209) 주다 [juda]

donner, offrir, allouer

Passer un objet ou autre à autrui pour qu'il le possède ou l'utilise.

passé : 주 + 었어요 → 줬어요
(n.) présent : 주 + 어요 → 줘요
futur : 주 + ㄹ 거예요 → 줄 거예요

(210) 지다 [jida]

subir une défaite, perdre, être battu, être vaincu, céder

Ne pas avoir pu vaincre l'adversaire lors d'un match, lors d'une lutte, etc.

passé : 지 + 었어요 → 졌어요
(n.) présent : 지 + 어요 → 져요
futur : 지 + ㄹ 거예요 → 질 거예요

(211) 지키다 [jikida]

tenir, observer, respecter, suivre

Respecter une promesse, la loi, les règles, etc., sans les enfreindre.

passé : 지키 + 었어요 → 지켰어요
(n.) présent : 지키 + 어요 → 지켜요
futur : 지키 + ㄹ 거예요 → 지킬 거예요

(212) 찾아가다 [chajagada]

visiter, se rendre

Aller rencontrer quelqu'un ou faire quelque chose.

passé : 찾아가 + 았어요 → 찾아갔어요
(n.) présent : 찾아가 + 아요 → 찾아가요
futur : 찾아가 + ㄹ 거예요 → 찾아갈 거예요

(213) 찾아오다 [chajaoda]

visiter, venir voir

Venir à la rencontre d'une personne ou venir faire quelque chose.

passé : 찾아오 + 았어요 → **찾아왔어요**
(n.) présent : 찾아오 + 아요 → **찾아와요**
futur : 찾아오 + ㄹ 거예요 → **찾아올 거예요**

(214) 초대하다 [chodaehada]

inviter

Demander à quelqu'un d'autre de venir à un lieu, une réunion , un événement, etc.

passé : 초대하 + 였어요 → **초대했어요**
(n.) présent : 초대하 + 여요 → **초대해요**
futur : 초대하 + ㄹ 거예요 → **초대할 거예요**

(215) 축하하다 [chukahada]

féliciter, complimenter

Rendre hommage avec plaisir à quelqu'un.

passé : 축하하 + 였어요 → **축하했어요**
(n.) présent : 축하하 + 여요 → **축하해요**
futur : 축하하 + ㄹ 거예요 → **축하할 거예요**

(216) 취소하다 [chwisohada]

annuler, abroger, invalider, révoquer

Retirer ce qui a déjà été publié ou annuler ce qui a été promis ou prévu.

passé : 취소하 + 였어요 → **취소했어요**
(n.) présent : 취소하 + 여요 → **취소해요**
futur : 취소하 + ㄹ 거예요 → **취소할 거예요**

(217) 헤어지다 [heeojida]

se séparer

Se tenir éloigné de quelqu'un avec qui l'on était.

passé : 헤어지 + 었어요 → 헤어졌어요
(n.) présent : 헤어지 + 어요 → 헤어져요
futur : 헤어지 + ㄹ 거예요 → 헤어질 거예요

(218) 환영하다 [hwanyeonghada]

accueillir (chaleureusement), souhaiter la bienvenue

Recevoir quelqu'un joyeusement et cordialement à son arrivée.

passé : 환영하 + 였어요 → 환영했어요
(n.) présent : 환영하 + 여요 → 환영해요
futur : 환영하 + ㄹ 거예요 → 환영할 거예요

(219) 갈아타다 [garatada]

changer (de moyen de transport)

Quitter un moyen de transport pour en prendre un autre.

passé : 갈아타 + 았어요 → 갈아탔어요
(n.) présent : 갈아타 + 아요 → 갈아타요
futur : 갈아타 + ㄹ 거예요 → 갈아탈 거예요

(220) 건너가다 [geonneogada]

traverser, passer, franchir, aller de l'autre côté

Aller d'un bord à l'autre d'un fleuve, d'un pont, d'une route etc.

passé : 건너가 + 았어요 → 건너갔어요
(n.) présent : 건너가 + 아요 → 건너가요
futur : 건너가 + ㄹ 거예요 → 건너갈 거예요

(221) 건너다 [geonneoda]

traverser, passer, franchir, aller de l'autre côté

Aller d'un bord à l'autre en passant ou en franchissant quelque chose.

passé : 건너 + 었어요 → **건넜어요**
(n.) présent : 건너 + 어요 → **건너요**
futur : 건너 + ㄹ 거예요 → **건널 거예요**

(222) 내리다 [naerida]

descendre

Sortir d'un véhicule et se retrouver dans un certain lieu.

passé : 내리 + 었어요 → **내렸어요**
(n.) présent : 내리 + 어요 → **내려요**
futur : 내리 + ㄹ 거예요 → **내릴 거예요**

(223) 도착하다 [dochakada]

arriver à, atteindre, parvenir à

Parvenir à destination.

passé : 도착하 + 였어요 → **도착했어요**
(n.) présent : 도착하 + 여요 → **도착해요**
futur : 도착하 + ㄹ 거예요 → **도착할 거예요**

(224) 막히다 [makida]

être obstrué, être encombré, être barré

(Rue) Être encombré par un embouteillage empêchant les voitures d'avancer.

passé : 막히 + 었어요 → **막혔어요**
(n.) présent : 막히 + 어요 → **막혀요**
futur : 막히 + ㄹ 거예요 → **막힐 거예요**

(225) 안전하다 [anjeonhada]

sûr

N'ayant pas à s'inquiéter de l'arrivée d'un danger ou d'un accident.

passé : 안전하 + 였어요 → **안전했어요**
(n.) présent : 안전하 + 여요 → **안전해요**
futur : 안전하 + ㄹ 거예요 → **안전할 거예요**

(226) 운전하다 [unjeonhada]

conduire

Faire marcher une machine, conduire une voiture, etc.

passé : 운전하 + 였어요 → **운전했어요**
(n.) présent : 운전하 + 여요 → **운전해요**
futur : 운전하 + ㄹ 거예요 → **운전할 거예요**

(227) 위험하다 [wiheomhada]

dangereux

Qui n'est pas sécurisé, avec des risques de se voir causer du tort ou se blesser.

passé : 위험하 + 였어요 → **위험했어요**
(n.) présent : 위험하 + 여요 → **위험해요**
futur : 위험하 + ㄹ 거예요 → **위험할 거예요**

(228) 주차하다 [juchahada]

se garer, garer sa voiture, se parquer, stationner

Stationner une automobile dans un lieu donné.

passé : 주차하 + 였어요 → **주차했어요**
(n.) présent : 주차하 + 여요 → **주차해요**
futur : 주차하 + ㄹ 거예요 → **주차할 거예요**

(229) 출발하다 [chulbalhada]
partir, démarrer

Prendre un chemin vers une destination.

passé : 출발하 + 였어요 → **출발했어요**
(n.) présent : 출발하 + 여요 → **출발해요**
futur : 출발하 + ㄹ 거예요 → **출발할 거예요**

(230) 타다 [tada]
prendre

Monter dans un véhicule ou sur un animal servant au transport.

passé : 타 + 았어요 → **탔어요**
(n.) présent : 타 + 아요 → **타요**
futur : 타 + ㄹ 거예요 → **탈 거예요**

(231) 출근하다 [chulgeunhada]
aller au travail

Se rendre sur le lieu de travail.

passé : 출근하 + 였어요 → **출근했어요**
(n.) présent : 출근하 + 여요 → **출근해요**
futur : 출근하 + ㄹ 거예요 → **출근할 거예요**

(232) 출퇴근하다 [chultoegeunhada]
faire la navette (entre chez soi et son bureau)

Aller au lieu de travail ou en partir.

passé : 출퇴근하 + 였어요 → **출퇴근했어요**
(n.) présent : 출퇴근하 + 여요 → **출퇴근해요**
futur : 출퇴근하 + ㄹ 거예요 → **출퇴근할 거예요**

(233) 취직하다 [chwijikada]

aller sur son lieu de travail, avoir un emploi

Aller sur son lieu de travail, ayant un emploi fixe.

passé : 취직하 + 였어요 → **취직했어요**
(n.) présent : 취직하 + 여요 → **취직해요**
futur : 취직하 + ㄹ 거예요 → **취직할 거예요**

(234) 퇴근하다 [toegeunhada]

Pas d'expression équivalente

Rentrer chez soi de son lieu de travail, à la fin de la journée.

passé : 퇴근하 + 였어요 → **퇴근했어요**
(n.) présent : 퇴근하 + 여요 → **퇴근해요**
futur : 퇴근하 + ㄹ 거예요 → **퇴근할 거예요**

(235) 회의하다 [hoeuihada]

tenir une réunion, tenir une conférence

Se rassembler et discuter à plusieurs.

passé : 회의하 + 였어요 → **회의했어요**
(n.) présent : 회의하 + 여요 → **회의해요**
futur : 회의하 + ㄹ 거예요 → **회의할 거예요**

(236) 거짓말하다 [geojinmalhada]

mentir, faire des mensonges, dire des mensonges

Inventer une histoire en déguisant la vérité.

passé : 거짓말하 + 였어요 → **거짓말했어요**
(n.) présent : 거짓말하 + 여요 → **거짓말해요**
futur : 거짓말하 + ㄹ 거예요 → **거짓말할 거예요**

(237) 농담하다 [nongdamhada]

plaisanter, badiner, blaguer, rigoler

Raconter des plaisanteries visant à taquiner les autres ou à les faire rire.

passé : 농담하 + 였어요 → **농담했어요**
(n.) présent : 농담하 + 여요 → **농담해요**
futur : 농담하 + ㄹ 거예요 → **농담할 거예요**

(238) 대답하다 [daedapada]

répondre, donner une réponse

Dire ce qui est demandé ou exigé par une question.

passé : 대답하 + 였어요 → **대답했어요**
(n.) présent : 대답하 + 여요 → **대답해요**
futur : 대답하 + ㄹ 거예요 → **대답할 거예요**

(239) 대화하다 [daehwahada]

faire la conversation avec, converser, parler à, discuter avec, dialoguer avec

Échanger des paroles en se mettant face à face.

passé : 대화하 + 였어요 → **했어요**
(n.) présent : 대화하 + 여요 → **해요**
futur : 대화하 + ㄹ 거예요 → **할 거예요**

(240) 드리다 [deurida]

présenter

Dire quelque chose à son supérieur, à un aîné ou saluer celui-ci.

passé : 드리 + 었어요 → **드렸어요**
(n.) présent : 드리 + 어요 → **드려요**
futur : 드리 + ㄹ 거예요 → **드릴 거예요**

(241) 말하다 [malhada]

parler, dire

Exprimer oralement un fait, sa pensée ou ses sentiments.

passé : 말하 + 였어요 → 말했어요
(n.) présent : 말하 + 여요 → 말해요
futur : 말하 + ㄹ 거예요 → 말할 거예요

(242) 묻다 [mutda]

interroger quelqu'un, demander quelque chose à quelqu'un

Parler en exigeant une réponse ou une explication.

passé : 묻 + 었어요 → 물었어요
(n.) présent : 묻 + 어요 → 물어요
futur : 묻 + 을 거예요 → 물을 거예요

(243) 물어보다 [mureoboda]

demander

Poser une question pour se renseigner sur quelque chose.

passé : 물어보 + 았어요 → 물어봤어요
(n.) présent : 물어보 + 아요 → 물어봐요
futur : 물어보 + ㄹ 거예요 → 물어볼 거예요

(244) 설명하다 [seolmyeonghada]

expliquer, commenter, expliciter, élucider, justifier

Parler d'une chose de façon à être facilement compréhensible.

passé : 설명하 + 였어요 → 설명했어요
(n.) présent : 설명하 + 여요 → 설명해요
futur : 설명하 + ㄹ 거예요 → 설명할 거예요

(245) 쓰다 [sseuda]

écrire, noter, inscrire

Tracer des traits d'un certain système d'écriture sur un papier ou autre à l'aide d'un outil spécifique comme un crayon ou un stylo.

passé : 쓰 + 었어요 → **썼어요**
(n.) présent : 쓰 + 어요 → **써요**
futur : 쓰 + ㄹ 거예요 → **쓸 거예요**

(246) 얘기하다 [yaegihada]

converser avec quelqu'un, parler avec, causer, discuter avec, bavarder, dialoguer, s'entretenir avec, avoir une conversation avec

Échanger des propos avec une ou plusieurs personnes.

passé : 얘기하 + 였어요 → **얘기했어요**
(n.) présent : 얘기하 + 여요 → **얘기해요**
futur : 얘기하 + ㄹ 거예요 → **얘기할 거예요**

(247) 읽다 [ikda]

lire

connaître le sens d'un texte que l'on voit.

passé : 읽 + 었어요 → **읽었어요**
(n.) présent : 읽 + 어요 → **읽어요**
futur : 읽 + 을 거예요 → **읽을 거예요**

(248) 질문하다 [jilmunhada]

demander, questionner, interroger

Poser une question sur ce que l'on ne sait pas ou sur ce que l'on veut savoir.

passé : 질문하 + 였어요 → **질문했어요**
(n.) présent : 질문하 + 여요 → **질문해요**
futur : 질문하 + ㄹ 거예요 → **질문할 거예요**

(249) 칭찬하다 [chingchanhada]

complimenter, vanter, louer

Exprimer en parole l'appréciation positive sur un bon point ou une bonne conduite.

passé : 칭찬하 + 였어요 → **칭찬했어요**
(n.) présent : 칭찬하 + 여요 → **칭찬해요**
futur : 칭찬하 + ㄹ 거예요 → **칭찬할 거예요**

(250) 끊다 [kkeunta]

couper, raccrocher

Arrêter l'échange verbal ou de pensées par téléphone ou sur internet.

passé : 끊 + 었어요 → **끊었어요**
(n.) présent : 끊 + 어요 → **끊어요**
futur : 끊 + 을 거예요 → **끊을 거예요**

(251) 부치다 [buchida]

envoyer, expédier, poster

Faire parvenir une lettre, une chose, etc. à quelqu'un.

passé : 부치 + 었어요 → **부쳤어요**
(n.) présent : 부치 + 어요 → **부쳐요**
futur : 부치 + ㄹ 거예요 → **부칠 거예요**

(252) 줄이다 [jurida]

réduire, diminuer

Rendre plus petit que d'origine, la longueur, la largueur, le volume, etc., de quelque chose.

passé : 줄이 + 었어요 → **줄였어요**
(n.) présent : 줄이 + 어요 → **줄여요**
futur : 줄이 + ㄹ 거예요 → **줄일 거예요**

(253) 줄다 [julda]

diminuer

(Longueur, largeur, volume d'un objet) Devenir plus petit que d'origine.

passé : 줄 + 었어요 → **줄었어요**
(n.) présent : 줄 + 어요 → **줄어요**
futur : 줄 + ㄹ 거예요 → **줄 거예요**

(254) 비다 [bida]

être vide, être inoccupé, être libre

Dans un espace, n'y avoir personne ou rien.

passé : 비 + 었어요 → **비었어요**
(n.) présent : 비 + 어요 → **비어요**
futur : 비 + ㄹ 거예요 → **빌 거예요**

(255) 모자라다 [mojarada]

manquer de, ne pas être suffisant

Ne pas atteindre un nombre, une quantité ou un degré donné.

passé : 모자라 + 았어요 → **모자랐어요**
(n.) présent : 모자라 + 아요 → **모자라요**
futur : 모자라 + ㄹ 거예요 → **모자랄 거예요**

(256) 늘다 [neulda]

augmenter, s'accroître, s'agrandir, s'allonger, se rallonger, s'amplifier

(Longueur, largeur, volume, etc. d'un objet) Devenir plus long ou plus grand qu'à l'origine.

passé : 늘 + 었어요 → **늘었어요**
(n.) présent : 늘 + 어요 → **늘어요**
futur : 늘 + ㄹ 거예요 → **늘 거예요**

(257) 남다 [namda]

rester

(Reste) Se produire du fait de ne pas avoir tout consommé.

passé : 남 + 았어요 → **남았어요**
(n.) présent : 남 + 아요 → **남아요**
futur : 남 + 을 거예요 → **남을 거예요**

(258) 남기다 [namgida]

laisser, léguer, mettre de côté, garder de côté

Faire en sorte de ne pas tout consommer pour en laisser quelque chose.

passé : 남기 + 었어요 → **남겼어요**
(n.) présent : 남기 + 어요 → **남겨요**
futur : 남기 + ㄹ 거예요 → **남길 거예요**

(259) 오다 [oda]

tomber, neiger, pleuvoir

(Pluie, neige, etc.) Tomber, ou (froid, etc.) survenir.

passé : 오 + 았어요 → **왔어요**
(n.) présent : 오 + 아요 → **와요**
futur : 오 + ㄹ 거예요 → **올 거예요**

(260) 불다 [bulda]

souffler

(Vent) Souffler et bouger dans une direction.

passé : 불 + 었어요 → **불었어요**
(n.) présent : 불 + 어요 → **불어요**
futur : 불 + ㄹ 거예요 → **불 거예요**

(261) 내리다 [naerida]

tomber, être donné, venir

(Neige, pluie, etc.) Tomber.

passé : 내리 + 었어요 → 내렸어요
(n.) présent : 내리 + 어요 → 내려요
futur : 내리 + ㄹ 거예요 → 내릴 거예요

(262) 그치다 [geuchida]

s'arrêter, s'interrompre

(Action, mouvement, phénomène, etc. qui était en cours) Ne plus continuer et cesser.

passé : 그치 + 었어요 → 그쳤어요
(n.) présent : 그치 + 어요 → 그쳐요
futur : 그치 + ㄹ 거예요 → 그칠 거예요

(263) 배우다 [baeuda]

apprendre, étudier, s'initer à, s'instruire

Acquérir une nouvelle connaissance.

passé : 배우 + 었어요 → 배웠어요
(n.) présent : 배우 + 어요 → 배워요
futur : 배우 + ㄹ 거예요 → 배울 거예요

(264) 가르치다 [gareuchida]

enseigner, apprendre, éduquer, instruire, former

Expliquer et faire assimiler une connaissance ou une technique.

passé : 가르치 + 었어요 → 가르쳤어요
(n.) présent : 가르치 + 어요 → 가르쳐요
futur : 가르치 + ㄹ 거예요 → 가르칠 거예요

(265) 팔다 [palda]

vendre

Donner un objet ou un droit, offrir un effort, etc., en échange d'un prix.

passé : 팔 + 았어요 → **팔았어요**
(n.) présent : 팔 + 아요 → **팔아요**
futur : 팔 + ㄹ 거예요 → **팔 거예요**

(266) 팔리다 [pallida]

être vendu

(Objet, droit, etc.) Être donné ou (effort) être offert en échange d'un prix.

passé : 팔리 + 었어요 → **팔렸어요**
(n.) présent : 팔리 + 어요 → **팔려요**
futur : 팔리 + ㄹ 거예요 → **파릴 거예요**

(267) 올리다 [ollida]

élever, hausser, augmenter, relever, accroître, monter, remonter (le moral), renforcer (le moral)

Rendre le prix, la valeur ou l'énergie plus grand ou plus important.

passé : 올리 + 었어요 → **올렸어요**
(n.) présent : 올리 + 어요 → **올려요**
futur : 올리 + ㄹ 거예요 → **올릴 거예요**

(268) 사다 [sada]

acheter

Donner de l'argent pour s'approprier un objet, un droit, etc.

passé : 사 + 았어요 → **샀어요**
(n.) présent : 사 + 아요 → **사요**
futur : 사 + ㄹ 거예요 → **살 거예요**

(269) 빌리다 [billida]

emprunter

Utiliser un objet, de l'argent, etc., pendant une durée de temps définie avec la promesse de le rendre ou en échange d'une contrepartie.

passé : 빌리 + 었어요 → **빌렸어요**
(n.) présent : 빌리 + 어요 → **빌려요**
futur : 빌리 + ㄹ 거예요 → **빌릴 거예요**

(270) 벌다 [beolda]

gagner, toucher

Percevoir ou collecter de l'argent comme rémunération d'un travail.

passé : 벌 + 었어요 → **벌었어요**
(n.) présent : 벌 + 어요 → **벌어요**
futur : 벌 + ㄹ 거예요 → **벌 거예요**

(271) 들다 [deulda]

falloir, exiger, demander, réclamer, coûter, nécessiter, être nécessaire, se dépenser

(Argent, temps, effort, etc.) Être utilisé pour quelque chose.

passé : 들 + 었어요 → **들었어요**
(n.) présent : 들 + 어요 → **들어요**
futur : 들 + ㄹ 거예요 → **들 거예요**

(272) 깎다 [kkakda]

abaisser, réduire, obtenir une réduction

Baisser le prix, le montant, le degré, etc.

passé : 깎 + 았어요 → **깎았어요**
(n.) présent : 깎 + 아요 → **깎아요**
futur : 깎 + 을 거예요 → **깎을 거예요**

(273) 갚다 [gapda]

rendre, rembourser, régler (une dette), s'acquitter

Redonner à son propriétaire ce que l'on avait emprunté.

passé : 갚 + 았어요 → 갚았어요
(n.) présent : 갚 + 아요 → 갚아요
futur : 갚 + 을 거예요 → 갚을 거예요

(274) 통화하다 [tonghwahada]

téléphoner, avoir quelqu'un au téléphone

Parler au téléphone.

passé : 통화하 + 였어요 → 통화했어요
(n.) présent : 통화하 + 여요 → 통화해요
futur : 통화하 + ㄹ 거예요 → 통화할 거예요

(275) 교환하다 [gyohwanhada]

échanger

Troquer quelque chose contre une autre.

passé : 교환하 + 였어요 → 교환했어요
(n.) présent : 교환하 + 여요 → 교환해요
futur : 교환하 + ㄹ 거예요 → 교환할 거예요

(276) 배달하다 [baedalhada]

livrer, distribuer

Apporter un courrier, un objet, de la nourriture, etc. à quelqu'un.

passé : 배달하 + 였어요 → 배달했어요
(n.) présent : 배달하 + 여요 → 배달해요
futur : 배달하 + ㄹ 거예요 → 배달할 거예요

(277) 선택하다 [seontaekada]

sélectionner, choisir

Sélectionner et choisir ce qui est nécessaire parmi plusieurs.

passé : 선택하 + 였어요 → **선택했어요**
(n.) présent : 선택하 + 여요 → **선택해요**
futur : 선택하 + ㄹ 거예요 → **선택할 거예요**

(278) 할인하다 [harinhada]

faire une réduction

Soustraire une certaine somme d'un prix fixe.

passé : 할인하 + 였어요 → **할인했어요**
(n.) présent : 할인하 + 여요 → **할인해요**
futur : 할인하 + ㄹ 거예요 → **할인할 거예요**

(279) 환전하다 [hwanjeonhada]

changer

Échanger la monnaie d'un pays contre celle d'un autre.

passé : 환전하 + 였어요 → **환전했어요**
(n.) présent : 환전하 + 여요 → **환전해요**
futur : 환전하 + ㄹ 거예요 → **환전할 거예요**

(280) 결석하다 [gyeolseokada]

ne pas se présenter, ne pas assister à, manquer, être absent, s'absenter

Ne pas être présent à un lieu officiel comme une école ou une réunion etc.

passé : 결석하 + 였어요 → **결석했어요**
(n.) présent : 결석하 + 여요 → **결석해요**
futur : 결석하 + ㄹ 거예요 → **결석할 거예요**

(281) 공부하다 [gongbuhada]

travailler, faire des études, étudier

Acquérir des connaissances par l'apprentissage d'une science ou d'une technique.

passé : 공부하 + 였어요 → 공부했어요
(n.) présent : 공부하 + 여요 → 공부해요
futur : 공부하 + ㄹ 거예요 → 공부할 거예요

(282) 교육하다 [gyoyukada]

enseigner, éduquer, former

Faire apprendre à quelqu'un des connaissances, une culture ou des techniques afin d'améliorer ses compétences.

passé : 교육하 + 였어요 → 교육했어요
(n.) présent : 교육하 + 여요 → 교육해요
futur : 교육하 + ㄹ 거예요 → 교육할 거예요

(283) 복습하다 [bokseupada]

répéter, repasser, faire des révisions, revoir, réviser

Apprendre à nouveau ce que l'on a appris.

passé : 복습하 + 였어요 → 복습했어요
(n.) présent : 복습하 + 여요 → 복습해요
futur : 복습하 + ㄹ 거예요 → 복습할 거예요

(284) 숙제하다 [sukjehada]

faire ses devoirs

(Élève) Faire un travail que l'on a donné à faire après les cours pour réviser ou se préparer à l'avance.

passé : 숙제하 + 였어요 → 숙제했어요
(n.) présent : 숙제하 + 여요 → 숙제해요
futur : 숙제하 + ㄹ 거예요 → 숙제할 거예요

(285) 연습하다 [yeonseupada]

s'exercer, faire des exercices, s'entraîner, répéter

S'astreindre à des exercices répétés comme dans une situation réelle.

passé : 연습하 + 였어요 → **연습했어요**

(n.) présent : 연습하 + 여요 → **연습해요**

futur : 연습하 + ㄹ 거예요 → **연습할 거예요**

(286) 예습하다 [yeseupada]

préparer une leçon à l'avance

Étudier à l'avance une leçon à apprendre dans l'avenir.

passé : 예습하 + 였어요 → **예습했어요**

(n.) présent : 예습하 + 여요 → **예습해요**

futur : 예습하 + ㄹ 거예요 → **예습할 거예요**

(287) 입학하다 [ipakada]

s'inscrire, être inscrit, être admis à un établissement scolaire

Entrer dans un établissement scolaire pour y étudier en tant qu'élève.

passé : 입학하 + 였어요 → **입학했어요**

(n.) présent : 입학하 + 여요 → **입학해요**

futur : 입학하 + ㄹ 거예요 → **입학할 거예요**

(288) 졸업하다 [joreopada]

finir ses études, achever ses études, terminer ses études,
sortir diplômé d'une école

(Élève ou étudiant(e)) Terminer un programme d'enseignement défini par une école ou une université.

passé : 졸업하 + 였어요 → **졸업했어요**

(n.) présent : 졸업하 + 여요 → **졸업해요**

futur : 졸업하 + ㄹ 거예요 → **졸업할 거예요**

(289) 지각하다 [jigakada]

être en retard

Arriver au travail ou à l'école plus tard qu'à l'heure fixée.

passé : 지각하 + 였어요 → **지각했어요**
(n.) présent : 지각하 + 여요 → **지각해요**
futur : 지각하 + ㄹ 거예요 → **지각할 거예요**

(290) 출석하다 [chulseokada]

paraître, assister

Venir et être présent à un cours, une réunion, etc.

passé : 출석하 + 였어요 → **출석했어요**
(n.) présent : 출석하 + 여요 → **출석해요**
futur : 출석하 + ㄹ 거예요 → **출석할 거예요**

한국어(coréen)

형용사(adjectif) 137

(1) 고프다 [gopeuda]

(adj.) faim

Qui a le ventre vide, et a envie de manger.

배가 고파요.

baega gopayo.

배+가 고프(고ㅍ)+아요.
　　　　　고파요

배 : ventre, abdomen
가 : Particule qui indique l'objet d'un état ou d'une situation, ou le sujet d'une action.
고프다 : (adj.) faim
-아요 : (forme honorifique non formelle) Terminaison finale pour décrire un fait ou pour indiquer une question, un ordre ou une recommandation. <description>

(2) 부르다 [bureuda]

rassasié, repu, calé

Qui a le ventre plein après avoir mangé des aliments.

배가 불러요.

baega bulleoyo.

배+가 부르(불ㄹ)+어요.
　　　　　불러요

배 : ventre, abdomen
가 : Particule qui indique l'objet d'un état ou d'une situation, ou le sujet d'une action.
부르다 : rassasié, repu, calé
-어요 : (forme honorifique non formelle) Terminaison finale pour décrire un fait ou pour indiquer une question, un ordre ou une recommandation. <description>

(3) 아프다 [apeuda]

malade

Ressentir une douleur ou une souffrance en étant blessé ou ayant contracté une maladie.

목이 <u>아파요</u>.

mogi apayo.

목+이 <u>아프(아ㅍ)+아요</u>.
　　　　아파요

목 : cou, nuque
이 : Particule qui indique l'objet d'un état ou d'une situation, ou le sujet d'une action.
아프다 : malade
-아요 : (forme honorifique non formelle) Terminaison finale pour décrire un fait ou pour indiquer une question, un ordre ou une recommandation. <description>

(4) 고맙다 [gomapda]

reconnaissant

Être touché par l'action que quelqu'un nous porte et avoir envie de faire de même.

도와줘서 <u>고마워요</u>.

dowajwoseo gomawoyo.

도와주+어서 <u>고맙(고마우)+어요</u>.
　　　　　　　고마워요

도와주다 : aider, assister, secourir, seconder
-어서 : Terminaison connective indiquant la raison ou la base.
고맙다 : reconnaissant
-어요 : (forme honorifique non formelle) Terminaison finale pour décrire un fait ou pour indiquer une question, un ordre ou une recommandation. <description>

(5) 괜찮다 [gwaenchanta]

pas mal

Qui est plutôt bien.

맛이 <u>괜찮아요</u>.

masi gwaenchanayo.

맛+이 괜찮+아요.

맛 : goût, saveur, sapidité
이 : Particule qui indique l'objet d'un état ou d'une situation, ou le sujet d'une action.
괜찮다 : pas mal
-아요 : (forme honorifique non formelle) Terminaison finale pour décrire un fait ou pour indiquer une question, un ordre ou une recommandation. <description>

(6) 귀엽다 [gwiyeopda]

mignon, joli, adorable

Joli à voir ou adorable.

얼굴이 <u>귀여워요</u>.
eolguri gwiyeowoyo.

얼굴+이 <u>귀엽(귀여우)+어요</u>.
　　　　　　귀여워요

얼굴 : expression, air, mine
이 : Particule qui indique l'objet d'un état ou d'une situation, ou le sujet d'une action.
귀엽다 : mignon, joli, adorable
-어요 : (forme honorifique non formelle) Terminaison finale pour décrire un fait ou pour indiquer une question, un ordre ou une recommandation. <description>

(7) 귀찮다 [gwichanta]

gênant, fatigant, embêtant

Qui est déplaisant et ennuyant.

씻기가 <u>귀찮아요</u>.
ssitgiga gwichanayo.

씻+기+가 귀찮+아요.

씻다 : laver, se laver, nettoyer

-기 : Terminaison attribuant la fonction de nom à la proposition précédente.

가 : Particule qui indique l'objet d'un état ou d'une situation, ou le sujet d'une action.

귀찮다 : gênant, fatigant, embêtant

-아요 : (forme honorifique non formelle) Terminaison finale pour décrire un fait ou pour indiquer une question, un ordre ou une recommandation. <description>

(8) 그립다 [geuripda]

qui manque, inoubliable

Qui donne le désir de revoir ou rencontrer.

가족이 그리워요.

gajogi geuriwoyo.

가족+이 그립(그리우)+어요.
   　　　　　그리워요

가족 : famille

이 : Particule qui indique l'objet d'un état ou d'une situation, ou le sujet d'une action.

그립다 : qui manque, inoubliable

-어요 : (forme honorifique non formelle) Terminaison finale pour décrire un fait ou pour indiquer une question, un ordre ou une recommandation. <description>

(9) 기쁘다 [gippeuda]

heureux

Qui est de très bonne humeur et content.

시험에 합격해서 기뻐요.

siheome hapgyeokaeseo gippeoyo.

시험+에 합격하+여서 기쁘(기뻐)+어요.
   　　　　　　　　　기뻐요

시험 : examen, test, épreuve, contrôle, évaluation

에 : Particule indiquant que la proposition précédente est l'objet d'une action ou d'un sentiment.

합격하다 : réussir, passer avec succès, être reçu
-여서 : Terminaison connective indiquant la raison ou la base.
기쁘다 : heureux
-어요 : (forme honorifique non formelle) Terminaison finale pour décrire un fait ou pour indiquer une question, un ordre ou une recommandation. <description>

(10) 답답하다 [dapdapada]
étouffant, suffocant, asphyxiant
Qui donne l'impression d'étouffer ou d'avoir du mal à respirer.

가슴이 답답해요.
gaseumi dapdapaeyo.

가슴+이 답답하+여요.
　　　　답답해요

가슴 : poitrine, poumons
이 : Particule qui indique l'objet d'un état ou d'une situation, ou le sujet d'une action.
답답하다 : étouffant, suffocant, asphyxiant
-여요 : (forme honorifique non formelle) Terminaison finale pour décrire un fait ou pour indiquer une question, un ordre ou une recommandation. <description>

(11) 무섭다 [museopda]
effrayé, terrifié, apeuré
Qui se sent gêné face à quelque chose ou qui appréhende ce qui pourrait se passer.

귀신이 무서워요.
gwisini museowoyo.

귀신+이 무섭(무서우)+어요.
　　　　무서워요

귀신 : Esprit divin faisant du bien ou du mal aux hommes.
이 : Particule qui indique l'objet d'un état ou d'une situation, ou le sujet d'une action.
무섭다 : effrayé, terrifié, apeuré
-어요 : (forme honorifique non formelle) Terminaison finale pour décrire un fait ou pour

indiquer une question, un ordre ou une recommandation. <description>

(12) 반갑다 [bangapda]

enchanté, ravi, joyeux

Qui est heureux et content d'avoir retrouvé quelqu'un qui lui a manqué ou parce que quelque chose qu'il espérait vient de se réaliser.

만나게 되어 <u>반가워요</u>.

mannage doeeo bangawoyo.

만나+[게 되]+어 <u>반갑(반가우)+어요</u>.
반가워요

만나다 : rencontrer, retrouver, rejoindre, voir
-게 되다 : Expression indiquant que l'état ou la situation exprimé(e) par les propos précédents se produit.
-어 : Terminaison connective indiquant que les propos précédents constituent la cause ou la raison des propos suivants.
반갑다 : enchanté, ravi, joyeux
-어요 : (forme honorifique non formelle) Terminaison finale pour décrire un fait ou pour indiquer une question, un ordre ou une recommandation. <description>

(13) 부끄럽다 [bukkeureopda]

pudique

Qui est gêné ou timide.

칭찬해 주시니 <u>부끄러워요</u>.

chingchanhae jusini bukkeureowoyo.

<u>칭찬하+[여 주]+시+니</u> <u>부끄럽(부끄러우)+어요</u>.
칭찬해 주시니 **부끄러워요**

칭찬하다 : complimenter, vanter, louer
-여 주다 : Expression indiquant le fait d'effectuer l'action exprimée par les propos précédents pour autrui.
-시- : Terminaison signifiant le fait de montrer du respect à l'auteur d'une action ou d'un

état.

-니 : Terminaison connective indiquant que les propos précédents constituent la cause, la base et la présupposition des propos suivants.

부끄럽다 : pudique

-어요 : (forme honorifique non formelle) Terminaison finale pour décrire un fait ou pour indiquer une question, un ordre ou une recommandation. <description>

(14) 부럽다 [bureopda]

jaloux, envieux

Qui éprouve de l'envie à la vue d'une chose et souhaite l'avoir, ou qui éprouve de l'envie à la vue d'une personne et souhaite devenir comme elle.

한국어 잘하는 사람이 부러워요.

hangugeo jalhaneun sarami bureowoyo.

한국어 잘하+는 사람+이 부럽(부러우)+어요.
                        부러워요

한국어 : coréen, langue coréenne

잘하다 : bien (+verbe), être bon en

-는 : Terminaison attribuant la fonction de déterminant à la proposition précédente, et pour indiquer que la situation ou l'action en question se réalise au présent.

사람 : homme, personne, gens, monsieur

이 : Particule qui indique l'objet d'un état ou d'une situation, ou le sujet d'une action.

부럽다 : jaloux, envieux

-어요 : (forme honorifique non formelle) Terminaison finale pour décrire un fait ou pour indiquer une question, un ordre ou une recommandation. <description>

(15) 불쌍하다 [bulssanghada]

pauvre, pitoyable, misérable

Qui attise la pitié ou la tristesse car plongé dans une mauvaise situation ou circonstance.

주인을 잃은 강아지가 불쌍해요.

juineul ireun gangajiga bulssanghaeyo.

주인+을 잃+은 강아지+가 불쌍하+여요.
                      불쌍해요

주인 : propriétaire

을 : Particule indiquant un objet directement influencé par un acte.

잃다 : perdre

-은 : Terminaison donnant la fonction de déterminant à la proposition précédente et indiquant que l'événement ou l'action en question est achevé et que cet état est maintenu.

강아지 : chiot

가 : Particule qui indique l'objet d'un état ou d'une situation, ou le sujet d'une action.

불쌍하다 : pauvre, pitoyable, misérable

-여요 : (forme honorifique non formelle) Terminaison finale pour décrire un fait ou pour indiquer une question, un ordre ou une recommandation. <description>

(16) 섭섭하다 [seopseopada]

regrettable, fâcheux

Qui est triste et déplorable.

선생님과 헤어지기가 <u>섭섭해요</u>.

seonsaengnimgwa heeojigiga seopseopaeyo.

선생님+과 헤어지+기+가 <u>섭섭하+여요</u>.

섭섭해요

선생님 : professeur

과 : Particule indiquant une personne avec qui l'on fait quelque chose.

헤어지다 : se séparer

-기 : Terminaison attribuant la fonction de nom à la proposition précédente.

가 : Particule qui indique l'objet d'un état ou d'une situation, ou le sujet d'une action.

섭섭하다 : regrettable, fâcheux

-여요 : (forme honorifique non formelle) Terminaison finale pour décrire un fait ou pour indiquer une question, un ordre ou une recommandation. <description>

(17) 소중하다 [sojunghada]

cher

Qui est très précieux.

가족이 가장 <u>소중해요</u>.

gajogi gajang sojunghaeyo.

가족+이 가장 <u>소중하+여요</u>.
소중해요

가족 : famille
이 : Particule qui indique l'objet d'un état ou d'une situation, ou le sujet d'une action.
가장 : le plus
소중하다 : cher
-여요 : (forme honorifique non formelle) Terminaison finale pour décrire un fait ou pour indiquer une question, un ordre ou une recommandation. <description>

(18) 슬프다 [seulpeuda]

triste, affligé, chagriné

(Cœur) Douloureux et en peine, au point d'en avoir les larmes aux yeux.

영화의 내용이 <u>슬퍼요</u>.
yeonghwae naeyongi seulpeoyo.

영화+의 내용+이 <u>슬프(슬ㅍ)+어요</u>.
슬퍼요

영화 : film, cinéma
의 : Particule pour indiquer que la proposition précédente prend une relation de possession, d'appartenance, d'emplacement, de relation, d'origine ou de sujet d'action par rapport à la proposition suivante.
내용 : substance
이 : Particule qui indique l'objet d'un état ou d'une situation, ou le sujet d'une action.
슬프다 : triste, affligé, chagriné
-어요 : (forme honorifique non formelle) Terminaison finale pour décrire un fait ou pour indiquer une question, un ordre ou une recommandation. <description>

(19) 시원하다 [siwonhada]

frais

Qui est agréablement froid sans être ni trop (au) chaud ni trop (au) froid.

바람이 <u>시원해요</u>.
barami siwonhaeyo.

바람+이 <u>시원하+여요</u>.
　　　　　　시원해요

바람 : vent, brise, air

이 : Particule qui indique l'objet d'un état ou d'une situation, ou le sujet d'une action.

시원하다 : frais

-여요 : (forme honorifique non formelle) Terminaison finale pour décrire un fait ou pour indiquer une question, un ordre ou une recommandation. <description>

(20) 싫다 [silta]

déplaisant, désagréable

Qui ne plaît pas.

매운 음식이 <u>싫어요</u>.

maeun eumsigi sireoyo.

<u>맵(매우)+ㄴ</u> 음식+이 싫+어요.
　　매운

맵다 : piquant, fort, pimenté

-ㄴ : Terminaison donnant la fonction de déterminant à la proposition précédente et exprimant l'état présent.

음식 : le boire et le manger

이 : Particule qui indique l'objet d'un état ou d'une situation, ou le sujet d'une action.

싫다 : déplaisant, désagréable

-어요 : (forme honorifique non formelle) Terminaison finale pour décrire un fait ou pour indiquer une question, un ordre ou une recommandation. <description>

(21) 외롭다 [oeropda]

seul, esseulé, solitaire

Solitaire, tout seul ou sans soutien.

지금 몹시 <u>외로워요</u>.

jigeum mopsi oerowoyo.

지금 몹시 <u>외롭(외로우)+어요</u>.
외로워요

지금 : à l'heure qu'il est, maintenant, tout de suite
몹시 : très, grandement, fort, beaucoup
외롭다 : seul, esseulé, solitaire
-어요 : (forme honorifique non formelle) Terminaison finale pour décrire un fait ou pour indiquer une question, un ordre ou une recommandation. <description>

(22) 좋다 [jota]
bon
(Nature ou contenu de quelque chose) Excellent et donc satisfaisant.

이 물건은 품질이 <u>좋아요</u>.
i mulgeoneun pumjiri joayo.

이 물건+은 품질+이 좋+아요.

이 : ce (cet, cette, ces)
물건 : objet, article
은 : Particule indiquant qu'un objet est le principal sujet (de conversation) d'une phrase.
품질 : qualité
이 : Particule qui indique l'objet d'un état ou d'une situation, ou le sujet d'une action.
좋다 : bon
-아요 : (forme honorifique non formelle) Terminaison finale pour décrire un fait ou pour indiquer une question, un ordre ou une recommandation. <description>

(23) 죄송하다 [joesonghada]
se sentir confus, être navré
Être vraiment désolé comme si l'on avait commis un crime.

늦어서 <u>죄송해요</u>.
neujeoseo joesonghaeyo.

늦+어서 <u>죄송하+여요</u>.
죄송해요

늦다 : être tard, se faire tard

-어서 : Terminaison connective indiquant la raison ou la base.

죄송하다 : se sentir confus, être navré

-여요 : (forme honorifique non formelle) Terminaison finale pour décrire un fait ou pour indiquer une question, un ordre ou une recommandation. <description>

(24) 즐겁다 [jeulgeopda]

joyeux, heureux, amusant, agréable

Qui est agréable et joyeux en raison de quelque chose de plaisant.

여행은 언제나 즐거워요.

yeohaengeun eonjena jeulgeowoyo.

여행+은 언제나 즐겁(즐거우)+어요.
　　　　　　　　　즐거워요

여행 : voyage

은 : Particule indiquant qu'un objet est le principal sujet (de conversation) d'une phrase.

언제나 : toujours, de tout temps, perpétuellement, éternellement, constamment, à toute heure

즐겁다 : joyeux, heureux, amusant, agréable

-어요 : (forme honorifique non formelle) Terminaison finale pour décrire un fait ou pour indiquer une question, un ordre ou une recommandation. <description>

(25) 급하다 [geupada]

imminent, pressant, pressé

(Situation ou circonstance) Qui est à règler d'urgence.

갑자기 급한 일이 생겼어요.

gapjagi geupan iri saenggyeosseoyo.

갑자기 급하+ㄴ 일+이 생기+었+어요.
　　　　급한　　　　　　생겼어요

갑자기 : soudain, tout à coup, subitement, brusquement

급하다 : imminent, pressant, pressé

-ㄴ : Terminaison donnant la fonction de déterminant à la proposition précédente et exprimant l'état présent.

일 : problème, chose, à faire

이 : Particule qui indique l'objet d'un état ou d'une situation, ou le sujet d'une action.

생기다 : surgir, avoir lieu, survenir, arriver, advenir, intervenir, se passer, se dérouler

-었- : Terminaison indiquant une situation où un évènement a eu lieu dans le passé ou que le résultat de cet évènement se poursuit jusqu'à présent.

-어요 : (forme honorifique non formelle) Terminaison finale pour décrire un fait ou pour indiquer une question, un ordre ou une recommandation. <description>

(26) 조용하다 [joyonghada]

doux, paisible, posé

Qui est peu bavard et calme.

도서관에서는 조용하게 말하세요.

doseogwaneseoneun joyonghage malhaseyo.

도서관+에서+는 조용하+게 말하+세요.

도서관 : bibliothèque

에서 : Particule indiquant que la proposition précédente est le lieu où se passe une action.

는 : Particule indiquant qu'un objet est le principal sujet (de conversation) d'une phrase.

조용하다 : doux, paisible, posé

-게 : Terminaison connective indiquant que les propos précédents constituent l'objectif, le résultat, la méthode ou le degré des propos qui suivent.

말하다 : parler, dire

-세요 : (forme honorifique non formelle) Terminaison finale pour indiquer une explication, une interrogation, un ordre ou une demande. <ordre>

(27) 곧다 [gotda]

droit, rectiligne

(Rue, ligne, posture) Qui est droit.

허리를 곧게 펴세요.

heorireul gotge pyeoseyo.

허리+를 곧+게 펴+세요.

허리 : taille, reins, dos, hanche, côté
를 : Particule indiquant un objet directement influencé par un acte.
곧다 : droit, rectiligne
-게 : Terminaison connective indiquant que les propos précédents constituent l'objectif, le résultat, la méthode ou le degré des propos qui suivent.
펴다 : étendre, défausser
-세요 : (forme honorifique non formelle) Terminaison finale pour indiquer une explication, une interrogation, un ordre ou une demande. <ordre>

(28) 까다롭다 [kkadaropda]

difficile, délicat

Se dit d'une situation compliquée qui n'est pas facile à gérer ou d'une méthode ardue et rigoureuse difficile à comprendre.

이 문제는 까다로워요.
i munjeneun kkadarowoyo.

이 문제+는 까다롭(까다로우)+어요.
　　　　　　까따로워요

이 : ce (cet, cette, ces)
문제 : question, exercice
는 : Particule indiquant qu'un objet est le principal sujet (de conversation) d'une phrase.
까다롭다 : difficile, délicat
-어요 : (forme honorifique non formelle) Terminaison finale pour décrire un fait ou pour indiquer une question, un ordre ou une recommandation. <description>

(29) 깔끔하다 [kkalkkeumhada]

propre, soigneux, méticuleux, rangé, ordonné

(Apparence) Qui est décent et propre.

방이 아주 깔끔해요.
bangi aju kkalkkeumhaeyo.

방+이 아주 깔끔하+여요.
　　　　　깔끔해요

방 : pièce, chambre, piaule, salle
이 : Particule qui indique l'objet d'un état ou d'une situation, ou le sujet d'une action.
아주 : très, tout, vraiment, réellement, véritablement, tout à fait, extrêmement, entièrement, terriblement, remarquablement
깔끔하다 : propre, soigneux, méticuleux, rangé, ordonné
-여요 : (forme honorifique non formelle) Terminaison finale pour décrire un fait ou pour indiquer une question, un ordre ou une recommandation. <description>

(30) 냉정하다 [naengjeonghada]

froid

(Attitude) Manquer d'affection, être froid.

성격이 냉정해요.
seonggyeogi naengjeonghaeyo.

성격+이 냉정하+여요.
　　　냉정해요

성격 : Caractère ou tempérament propre à un individu.
이 : Particule qui indique l'objet d'un état ou d'une situation, ou le sujet d'une action.
냉정하다 : froid
-여요 : (forme honorifique non formelle) Terminaison finale pour décrire un fait ou pour indiquer une question, un ordre ou une recommandation. <description>

(31) 너그럽다 [neogeureopda]

généreux, indulgent, libéral

Qui comprend bien la situation d'autrui et qui a un coeur généreux.

마음이 너그러워요.
maeumi neogeureowoyo.

마음+이 너그럽(너그러우)+어요.
　　　너그러워요

마음 : âme, cœur, esprit
이 : Particule qui indique l'objet d'un état ou d'une situation, ou le sujet d'une action.

너그럽다 : généreux, indulgent, libéral
-어요 : (forme honorifique non formelle) Terminaison finale pour décrire un fait ou pour indiquer une question, un ordre ou une recommandation. <description>

(32) 느긋하다 [neugeutada]

détendu, décontracté, insouciant, (adj.) avec décontraction, sans hâte, sans se presser

Qui ne se dépêche pas en se détendant.

숙제를 끝내서 마음이 <u>느긋해요</u>.

sukjereul kkeunnaeseo maeumi neugeutaeyo.

숙제+를 끝내+어서 마음+이 느긋하+여요.
　　　　끝내서　　　　　　　느긋해요

숙제 : devoir(s)
를 : Particule indiquant un objet directement influencé par un acte.
끝내다 : terminer, finir, achever
-어서 : Terminaison connective indiquant la raison ou la base.
마음 : âme, cœur, esprit
이 : Particule qui indique l'objet d'un état ou d'une situation, ou le sujet d'une action.
느긋하다 : détendu, décontracté, insouciant, (adj.) avec décontraction, sans hâte, sans se presser
-여요 : (forme honorifique non formelle) Terminaison finale pour décrire un fait ou pour indiquer une question, un ordre ou une recommandation. <description>

(33) 다정하다 [dajeonghada]

tendre, cordial

Qui a un grand cœur et est affectueux.

아버지는 가족들에게 무척 <u>다정해요</u>.

abeojineun gajokdeurege mucheok dajeonghaeyo.

아버지+는 가족+들+에게 무척 다정하+여요.
　　　　　　　　　　　　　　다정해요

아버지 : père

는 : Particule indiquant qu'un objet est le principal sujet (de conversation) d'une phrase.

가족 : famille

들 : Suffixe signifiant « pluriel ».

에게 : Particule indiquant l'objet affecté par une action.

무척 : (n.) très, fortement, beaucoup

다정하다 : tendre, cordial

-여요 : (forme honorifique non formelle) Terminaison finale pour décrire un fait ou pour indiquer une question, un ordre ou une recommandation. <description>

(34) 못되다 [motdoeda]

mauvais, méchant, vicieux, vilain

(Nature ou action) Qui est moralement mauvaise.

동생은 못된 버릇이 있어요.

dongsaengeun motdoen beoreusi isseoyo.

동생+은 못되+ㄴ 버릇+이 있+어요.
            못된

동생 : jeune frère, jeune sœur, petit frère, petite sœur, frère cadet, sœur cadette

은 : Particule indiquant qu'un objet est le principal sujet (de conversation) d'une phrase.

못되다 : mauvais, méchant, vicieux, vilain

-ㄴ : Terminaison donnant la fonction de déterminant à la proposition précédente et exprimant l'état présent.

버릇 : habitude, usage, coutume, pratique

이 : Particule qui indique l'objet d'un état ou d'une situation, ou le sujet d'une action.

있다 : (adj.) avoir

-어요 : (forme honorifique non formelle) Terminaison finale pour décrire un fait ou pour indiquer une question, un ordre ou une recommandation. <description>

(35) 변덕스럽다 [byeondeokseureopda]

capricieux, lunatique, versatile

Dont les propos, le comportement, l'humeur, etc. changent souvent.

요즘 날씨가 변덕스러워요.

yojeum nalssiga byeondeokseureowoyo.

요즘 날씨+가 <u>변덕스럽(변덕스러우)</u>+어요.
변덕스러워요

요즘 : aujourd'hui, maintenant
날씨 : temps
가 : Particule qui indique l'objet d'un état ou d'une situation, ou le sujet d'une action.
변덕스럽다 : capricieux, lunatique, versatile
-어요 : (forme honorifique non formelle) Terminaison finale pour décrire un fait ou pour indiquer une question, un ordre ou une recommandation. <description>

(36) 솔직하다 [soljikada]

franc, sincère, ouvert

Qui n'a pas de fausseté ni d'apprêt.

<u>묻는 말에 **솔직하게** 대답하세요.</u>
munneun mare soljikage daedapaseyo.

묻+는 말+에 솔직하+게 대답하+세요.

묻다 : interroger quelqu'un, demander quelque chose à quelqu'un
-는 : Terminaison attribuant la fonction de déterminant à la proposition précédente, et pour indiquer que la situation ou l'action en question se réalise au présent.
말 : conversation, entretien, causerie, bavardage
에 : Particule indiquant que la proposition précédente est l'objet d'une action ou d'un sentiment.
솔직하다 : franc, sincère, ouvert
-게 : Terminaison connective indiquant que les propos précédents constituent l'objectif, le résultat, la méthode ou le degré des propos qui suivent.
대답하다 : répondre, donner une réponse
-세요 : (forme honorifique non formelle) Terminaison finale pour indiquer une explication, une interrogation, un ordre ou une demande. <ordre>

(37) 순수하다 [sunsuhada]

pur, innocent, naïf

Qui n'a pas d'ambition personnelle ou de mauvaises pensées.

<u>순수하게</u> 세상을 살고 싶어요.
sunsuhage sesangeul salgo sipeoyo.

순수하+게 세상+을 살+[고 싶]+어요.

순수하다 : pur, innocent, naïf
-게 : Terminaison connective indiquant que les propos précédents constituent l'objectif, le résultat, la méthode ou le degré des propos qui suivent.
세상 : monde, univers
을 : Particule indiquant un objet directement influencé par un acte.
살다 : vivre, habiter, demeurer
-고 싶다 : Expression utilisée pour montrer le désir à vouloir faire l'action de la proposition précédente.
-어요 : (forme honorifique non formelle) Terminaison finale pour décrire un fait ou pour indiquer une question, un ordre ou une recommandation. <description>

(38) 순진하다 [sunjinhada]

naïf, innocent, pur

(Cœur) Sincère et sans apprêt.

그 사람은 어린아이처럼 <u>순진해요</u>.
geu sarameun eorinaicheoreom sunjinhaeyo.

그 사람+은 어린아이+처럼 <u>순진하+여요</u>.
순진해요

그 : Terme désignant un objet qui se trouve à proximité de l'interlocuteur ou auquel l'interlocuteur pense.
사람 : homme, personne, gens, monsieur
은 : Particule indiquant qu'un objet est le principal sujet (de conversation) d'une phrase.
어린아이 : jeune enfant
처럼 : Particule indiquant la similarité ou le caractère identique réciproque dans l'aspect ou le degré.
순진하다 : naïf, innocent, pur
-여요 : (forme honorifique non formelle) Terminaison finale pour décrire un fait ou pour indiquer une question, un ordre ou une recommandation. <description>

(39) 순하다 [sunhada]

doux, docile, tendre, gentil, sage, aimable, paisible

(Caractère ou comportement) Souple et facile.

아이가 성격이 순해요.

aiga seonggyeogi sunhaeyo.

아이+가 성격+이 순하+여요.
　　　　　　　　　순해요

아이 : enfant, petit, gamin, même, garçon, fillette
가 : Particule qui indique l'objet d'un état ou d'une situation, ou le sujet d'une action.
성격 : Caractère ou tempérament propre à un individu.
이 : Particule qui indique l'objet d'un état ou d'une situation, ou le sujet d'une action.
순하다 : doux, docile, tendre, gentil, sage, aimable, paisible
-여요 : (forme honorifique non formelle) Terminaison finale pour décrire un fait ou pour indiquer une question, un ordre ou une recommandation. <description>

(40) 활발하다 [hwalbalhada]

actif, dynamique, plein d'énergie

Qui est plein de vigueur et de force.

나는 활발한 사람이 좋아요.

naneun hwalbalhan sarami joayo.

나+는 활발하+ㄴ 사람+이 좋+아요.
　　　활발한

나 : je, moi, me
는 : Particule indiquant qu'un objet est le principal sujet (de conversation) d'une phrase.
활발하다 : actif, dynamique, plein d'énergie
-ㄴ : Terminaison donnant la fonction de déterminant à la proposition précédente et exprimant l'état présent.
사람 : homme, personne, gens, monsieur
이 : Particule qui indique l'objet d'un état ou d'une situation, ou le sujet d'une action.
좋다 : bon
-아요 : (forme honorifique non formelle) Terminaison finale pour décrire un fait ou pour

indiquer une question, un ordre ou une recommandation. <description>

(41) 게으르다 [geeureuda]

paresseux, fainéant

Qui est lent à l'action et qui n'aime pas bouger ou travailler.

게으른 사람은 성공하지 못해요.

geeureun sarameun seonggonghaji motaeyo.

게으르+ㄴ 사람+은 성공하+[지 못하]+여요.
　게으른　　　　　　　성공하지 못해요

게으르다 : paresseux, fainéant
-ㄴ : Terminaison donnant la fonction de déterminant à la proposition précédente et exprimant l'état présent.
사람 : homme, personne, gens, monsieur
은 : Particule indiquant qu'un objet est le principal sujet (de conversation) d'une phrase.
성공하다 : réussir, avoir du succès, être couronné de succès
-지 못하다 : Expression pour indiquer qu'on n'a pas la capacité à faire l'action de la proposition précédente ou que les choses ne se passent pas comme le voulait le sujet.
-여요 : (forme honorifique non formelle) Terminaison finale pour décrire un fait ou pour indiquer une question, un ordre ou une recommandation. <description>

(42) 부지런하다 [bujireonhada]

diligent, actif, assidu, appliqué, travailleur, studieux, laborieux, soigneux

Qui a la tendance à travailler assidûment sans être paresseux.

부지런한 사람이 성공할 수 있어요.

bujireonhan sarami seonggonghal su isseoyo.

부지런하+ㄴ 사람+이 성공하+[ㄹ 수 있]+어요.
　부지런한　　　　　　성공할 수 있어요

부지런하다 : diligent, actif, assidu, appliqué, travailleur, studieux, laborieux, soigneux
-ㄴ : Terminaison donnant la fonction de déterminant à la proposition précédente et exprimant l'état présent.
사람 : homme, personne, gens, monsieur
이 : Particule qui indique l'objet d'un état ou d'une situation, ou le sujet d'une action.
성공하다 : réussir, avoir du succès, être couronné de succès
-ㄹ 수 있다 : Expression indiquant qu'une action ou un état est possible.
-어요 : (forme honorifique non formelle) Terminaison finale pour décrire un fait ou pour indiquer une question, un ordre ou une recommandation. <description>

(43) 착하다 [chakada]

affable, affectueux, sympathique

(Cœur, attitude) Qui est tendre, honnête et aimable.

그녀는 마음씨가 착해요.
geunyeoneun maeumssiga chakaeyo.

그녀+는 마음씨+가 착하+여요.
착해요

그녀 : elle, la, lui
는 : Particule indiquant qu'un objet est le principal sujet (de conversation) d'une phrase.
마음씨 : cœur, naturel, nature, tempérament, caractère
가 : Particule qui indique l'objet d'un état ou d'une situation, ou le sujet d'une action.
착하다 : affable, affectueux, sympathique
-여요 : (forme honorifique non formelle) Terminaison finale pour décrire un fait ou pour indiquer une question, un ordre ou une recommandation. <description>

(44) 친절하다 [chinjeolhada]

gentil, aimable, amical, complaisant

Qui a une attitude agréable et douce à l'égard des gens.

가게 주인은 모든 손님에게 친절해요.
gage juineun modeun sonnimege chinjeolhaeyo.

가게 주인+은 모든 손님+에게 친절하+여요.
친절해요

가게 : boutique, magasin, échoppe, petit commerce
주인 : propriétaire
은 : Particule indiquant qu'un objet est le principal sujet (de conversation) d'une phrase.
모든 : tout
손님 : client(e), hôte
에게 : Particule indiquant l'objet affecté par une action.
친절하다 : gentil, aimable, amical, complaisant
-여요 : (forme honorifique non formelle) Terminaison finale pour décrire un fait ou pour indiquer une question, un ordre ou une recommandation. <description>

(45) 날씬하다 [nalssinhada]
fin, délié, svelte, mince
(Corps) Fin, élancé et agréable à voir.

모델은 몸매가 날씬해요.
modereun mommaega nalssinhaeyo.

모델+은 몸매+가 날씬하+여요.
날씬해요

모델 : modèle, mannequin
은 : Particule indiquant qu'un objet est le principal sujet (de conversation) d'une phrase.
몸매 : ligne, silhouette, galbe, physique
가 : Particule qui indique l'objet d'un état ou d'une situation, ou le sujet d'une action.
날씬하다 : fin, délié, svelte, mince
-여요 : (forme honorifique non formelle) Terminaison finale pour décrire un fait ou pour indiquer une question, un ordre ou une recommandation. <description>

(46) 뚱뚱하다 [ttungttunghada]
gros, obèse
Qui a pris du poids et qui accuse d'une transformation physique du corps.

요즘은 뚱뚱한 청소년이 많아졌어요.
yojeumeun ttungttunghan cheongsonyeoni manajeosseoyo.

요즘+은 뚱뚱하+ㄴ 청소년+이 많아지+었+어요.
뚱뚱한　　　　　　　　**많아졌어요**

요즘 : aujourd'hui, maintenant

은 : Particule indiquant qu'un objet est le principal sujet (de conversation) d'une phrase.

뚱뚱하다 : gros, obèse

-ㄴ : Terminaison donnant la fonction de déterminant à la proposition précédente et exprimant l'état présent.

청소년 : adolescent

이 : Particule qui indique l'objet d'un état ou d'une situation, ou le sujet d'une action.

많아지다 : devenir nombreux, devenir abondant

-었- : Terminaison indiquant une situation où un évènement a eu lieu dans le passé ou que le résultat de cet évènement se poursuit jusqu'à présent.

-어요 : (forme honorifique non formelle) Terminaison finale pour décrire un fait ou pour indiquer une question, un ordre ou une recommandation. <description>

(47) 아름답다 [areumdapda]

beau, charmant,élégant, ravissant, éblouissant, raffiné

(Chose vue, voix, couleur, etc.) Pouvant donner du plaisir et de la satisfaction aux yeux et aux oreilles.

여기 경치가 무척 <u>아름다워요</u>.

yeogi gyeongchiga mucheok areumdawoyo.

여기 경치+가 무척 <u>아름답(아름다우)</u>+어요.

아름다워요

여기 : ici

경치 : paysage, scène, vue

가 : Particule qui indique l'objet d'un état ou d'une situation, ou le sujet d'une action.

무척 : (n.) très, fortement, beaucoup

아름답다 : beau, charmant,élégant, ravissant, éblouissant, raffiné

-어요 : (forme honorifique non formelle) Terminaison finale pour décrire un fait ou pour indiquer une question, un ordre ou une recommandation. <description>

(48) 어리다 [eorida]

petit, tout jeune

(Âge) Qui est jeune.

내 동생은 아직 <u>어려요</u>.

nae dongsaengeun ajik eoryeoyo.

<u>나</u>+의 동생+은 아직 <u>어리</u>+어요.
  내   어려요

나 : je, moi, me
의 : Particule pour indiquer que la proposition précédente prend une relation de possession, d'appartenance, d'emplacement, de relation, d'origine ou de sujet d'action par rapport à la proposition suivante.
동생 : jeune frère, jeune sœur, petit frère, petite sœur, frère cadet, sœur cadette
은 : Particule indiquant qu'un objet est le principal sujet (de conversation) d'une phrase.
아직 : encore, toujours
어리다 : petit, tout jeune
-어요 : (forme honorifique non formelle) Terminaison finale pour décrire un fait ou pour indiquer une question, un ordre ou une recommandation. <description>

(49) 예쁘다 [yeppeuda]

beau, splendide, joli, mignon, adorable, ravissant, superbe, séduisant, charmant, gentil

(Apparence) Qui suscite un plaisir esthétique d'ordre visuel.

구름이 참 <u>예뻐요</u>.

gureumi cham yeppeoyo.

구름+이 참 <u>예쁘(예뻐)</u>+어요.
              예뻐요

구름 : nuage, nuée
이 : Particule qui indique l'objet d'un état ou d'une situation, ou le sujet d'une action.
참 : vraiment, effectivement, réellement
예쁘다 : beau, splendide, joli, mignon, adorable, ravissant, superbe, séduisant, charmant, gentil
-어요 : (forme honorifique non formelle) Terminaison finale pour décrire un fait ou pour indiquer une question, un ordre ou une recommandation. <description>

(50) 젊다 [jeomda]

jeune

(Âge) Qui est à son meilleur moment.

이 회사에는 젊은 사람들이 많아요.

i hoesaeneun jeolmeun saramdeuri manayo.

이 회사+에+는 젊+은 사람+들+이 많+아요.

이 : ce (cet, cette, ces)

회사 : Entreprise, société, firme, compagnie

에 : Particule indiquant que la proposition précédente (en coréen) est un lieu ou un emplacement.

는 : Particule indiquant qu'un objet est le principal sujet (de conversation) d'une phrase.

젊다 : jeune

-은 : Terminaison donnant la fonction de déterminant à la proposition précédente et exprimant l'état présent.

사람 : homme, personne, gens, monsieur

들 : Suffixe signifiant « pluriel ».

이 : Particule qui indique l'objet d'un état ou d'une situation, ou le sujet d'une action.

많다 : nombreux, abondant, riche, plein, rempli

-아요 : (forme honorifique non formelle) Terminaison finale pour décrire un fait ou pour indiquer une question, un ordre ou une recommandation. <description>

(51) 똑똑하다 [ttokttokada]

intelligent, brillant

Intelligent et brillant.

친구는 똑똑해서 공부를 잘해요.

chinguneun ttokttokaeseo gongbureul jalhaeyo.

친구+는 똑똑하+여서 공부+를 잘하+여요.
　　　　　　똑똑해서　　　　　　**잘해요**

친구 : ami, amie, camarade, copain, copine, compagnon

는 : Particule indiquant qu'un objet est le principal sujet (de conversation) d'une phrase.

똑똑하다 : intelligent, brillant

-여서 : Terminaison connective indiquant la raison ou la base.

공부 : étude, travail

를 : Particule indiquant un objet directement influencé par un acte.

잘하다 : bien (+verbe), être bon en

-여요 : (forme honorifique non formelle) Terminaison finale pour décrire un fait ou pour indiquer une question, un ordre ou une recommandation. <description>

(52) 못하다 [motada]

inférieur à, ne pas valoir

Dont le degré ou le niveau n'est pas à la hauteur d'un critère donné lors d'une comparaison.

음식 맛이 예전보다 못해요.

eumsik masi yejeonboda motaeyo.

음식 맛+이 예전+보다 못하+여요.

못해요

음식 : le boire et le manger

맛 : goût, saveur, sapidité

이 : Particule qui indique l'objet d'un état ou d'une situation, ou le sujet d'une action.

예전 : (n.) autrefois

보다 : Particule indiquant l'objet de référence lors d'une comparaison de deux choses différentes.

못하다 : inférieur à, ne pas valoir

-여요 : (forme honorifique non formelle) Terminaison finale pour décrire un fait ou pour indiquer une question, un ordre ou une recommandation. <description>

(53) 쉽다 [swipda]

facile, aisé, simple

Qui n'est pas pénible, ni difficile à faire.

시험 문제가 쉬웠어요.

siheom munjega swiwosseoyo.

시험 문제+가 쉽(쉬우)+었+어요.

쉬웠어요

시험 : examen, test, épreuve, contrôle, évaluation
문제 : question, exercice
가 : Particule qui indique l'objet d'un état ou d'une situation, ou le sujet d'une action.
쉽다 : facile, aisé, simple
-었- : Terminaison indiquant une situation où un évènement a eu lieu dans le passé ou que le résultat de cet évènement se poursuit jusqu'à présent.
-어요 : (forme honorifique non formelle) Terminaison finale pour décrire un fait ou pour indiquer une question, un ordre ou une recommandation. <description>

(54) 어렵다 [eoryeopda]

compliqué, complexe, délicat

Qui est compliqué ou pénible à faire.

수학 문제는 항상 어려워요.
suhak munjeneun hangsang eoryeowoyo.

수학 문제+는 항상 어렵(어려우)+어요.
                        어려워요

수학 : mathématiques
문제 : question, exercice
는 : Particule indiquant qu'un objet est le principal sujet (de conversation) d'une phrase.
항상 : toujours, constamment
어렵다 : compliqué, complexe, délicat
-어요 : (forme honorifique non formelle) Terminaison finale pour décrire un fait ou pour indiquer une question, un ordre ou une recommandation. <description>

(55) 훌륭하다 [hullyunghada]

excellent, brillant

Qui est si excellent qu'il mérite un compliment.

이 차의 성능은 훌륭해요.
i chae seongneungeun hullyunghaeyo.

이 차+의 성능+은 훌륭하+여요.
                    훌륭해요

이 : ce (cet, cette, ces)
차 : voiture, véhicule, train
의 : Particule pour indiquer que la proposition précédente a une caractéristique ou une quantité limitée, ou la même qualité que la proposition suivante.
성능 : capacité, qualité, rendement, performance, puissance
은 : Particule indiquant qu'un objet est le principal sujet (de conversation) d'une phrase.
훌륭하다 : excellent, brillant
-여요 : (forme honorifique non formelle) Terminaison finale pour décrire un fait ou pour indiquer une question, un ordre ou une recommandation. <description>

(56) 힘들다 [himdeulda]
difficile, dur, pénible, laborieux
Qui a un aspect nécessitant un effort considérable.

이 동작은 너무 <u>힘들어요</u>.
i dongjageun neomu himdeureoyo.

이 동작+은 너무 힘들+어요.

이 : ce (cet, cette, ces)
동작 : mouvement, geste
은 : Particule indiquant qu'un objet est le principal sujet (de conversation) d'une phrase.
너무 : trop, excessivement, à l'excès, avec excès, outre mesure, démesurément
힘들다 : difficile, dur, pénible, laborieux
-어요 : (forme honorifique non formelle) Terminaison finale pour décrire un fait ou pour indiquer une question, un ordre ou une recommandation. <description>

(57) 궁금하다 [gunggeumhada]
curieux, intéressé
Qui est désireux d'apprendre quelque chose.

무슨 화장품을 쓰는지 <u>궁금해요</u>?
museun hwajangpumeul sseuneunji gunggeumhaeyo?

무슨 화장품+을 쓰+는지 <u>궁금하+여요</u>?
궁금해요

무슨 : Terme utilisé pour souligner ce qui est insatisfasant contre toute attente.
화장품 : produit cosmétique, produit de maquillage, produit de beauté
을 : Particule indiquant un objet directement influencé par un acte.
쓰다 : utiliser, employer, se servir de, faire usage de, user de
-는지 : Terminaison connective indiquant une raison vague ou un jugement vague sur le contenu des propos suivants.
궁금하다 : curieux, intéressé
-여요 : (forme honorifique non formelle) Terminaison finale pour décrire un fait ou pour indiquer une question, un ordre ou une recommandation. <question>

(58) 옳다 [olta]

bon, juste, droit, judicieux, sensé, (adj.) avoir raison
Qui est correct et conforme aux règles.

그는 평생 옳은 삶을 살아 왔어요.
geuneun pyeongsaeng oreun salmeul sara wasseoyo.

그+는 평생 옳+은 삶+을 살+[아 오]+았+어요.
살아 왔어요

그 : il, elle
는 : Particule indiquant qu'un objet est le principal sujet (de conversation) d'une phrase.
평생 : toute la vie
옳다 : bon, juste, droit, judicieux, sensé, (adj.) avoir raison
-은 : Terminaison donnant la fonction de déterminant à la proposition précédente et exprimant l'état présent.
삶 : vie
을 : Particule pour indiquer le complément objet nominal d'un prédicat.
살다 : vivre, habiter, demeurer
-아 오다 : Expression indiquant qu'une action ou un état exprimé par les propos précedents continue d'être effectué(e) ou se maintient dans la mesure où celui-ci(celle-ci) s'approche d'une limite.
-았- : Terminaison indiquant une situation où un évènement a eu lieu dans le passé ou que le résultat de cet évènement se poursuit jusqu'à présent.
-어요 : (forme honorifique non formelle) Terminaison finale pour décrire un fait ou pour indiquer une question, un ordre ou une recommandation. <description>

(59) 바쁘다 [bappeuda]

occupé, débordé de travail, submergé de travail

Qui n'est pas disponible pour faire autre chose, parce qu'il a beaucoup de choses à faire ou parce qu'il n'a pas de temps.

식사를 못 할 정도로 바빠요.
siksareul mot hal jeongdoro bappayo.

식사+를 못 하+ㄹ 정도+로 바쁘(바빠)+아요.
　　　　　　할　　　　　　　바빠요

식사 : repas
를 : Particule indiquant un objet directement influencé par un acte.
못 : De façon à ce que l'action exprimée par le verbe ne puisse pas s'effectuer.
하다 : faire, exécuter, effectuer, s'occuper de
-ㄹ : Terminaison faisant fonctionner le mot précédent comme un déterminant.
정도 : degré, mesure
로 : Particule indiquant la méthode ou la manière de faire quelque chose.
바쁘다 : occupé, débordé de travail, submergé de travail
-아요 : (forme honorifique non formelle) Terminaison finale pour décrire un fait ou pour indiquer une question, un ordre ou une recommandation. <description>

(60) 한가하다 [hangahada]

tranquille, nonchalant, paisible

Qui n'est pas dans la hâte et qui n'est pas pressé.

학교가 방학이어서 한가해요.
hakgyoga banghagieoseo hangahaeyo.

학교+가 방학+이+어서 한가하+여요.
　　　　　　　　　　　한가해요

학교 : école, établissement scolaire, établissement d'enseignement, école primaire, collège, lycée, université, institution
가 : Particule qui indique l'objet d'un état ou d'une situation, ou le sujet d'une action.
방학 : vacances (scolaires)
이다 : Particule du cas prédicatif pour indiquer la caractéristique ou la catégorie d'un objet

qui se rapporte au sujet d'une phrase.

-어서 : Terminaison connective indiquant la raison ou la base.

한가하다 : tranquille, nonchalant, paisible

-여요 : (forme honorifique non formelle) Terminaison finale pour décrire un fait ou pour indiquer une question, un ordre ou une recommandation. <description>

(61) 달다 [dalda]

doux, sucré

Semblable au goût du miel ou à celui du sucre.

초콜릿이 너무 달아요.

chokollisi neomu darayo.

초콜릿+이 너무 달+아요.

초콜릿 : chocolat

이 : Particule qui indique l'objet d'un état ou d'une situation, ou le sujet d'une action.

너무 : trop, excessivement, à l'excès, avec excès, outre mesure, démesurément

달다 : doux, sucré

-아요 : (forme honorifique non formelle) Terminaison finale pour décrire un fait ou pour indiquer une question, un ordre ou une recommandation. <description>

(62) 맛없다 [madeopda]

mauvais, infect, dégoûtant

(Nourriture) Dont le goût n'est pas bon.

배가 불러서 다 맛없어요.

baega bulleoseo da maseopseoyo.

배+가 부르(불르)+어서 다 맛없+어요.
　　　　불러서

배 : ventre, abdomen

가 : Particule qui indique l'objet d'un état ou d'une situation, ou le sujet d'une action.

부르다 : rassasié, repu, calé

-어서 : Terminaison connective indiquant la raison ou la base.

다 : tout, toute, tous, toutes, complètement, parfaitement, vraiment, même, dans son intégralité

맛없다 : mauvais, infect, dégoûtant

-어요 : (forme honorifique non formelle) Terminaison finale pour décrire un fait ou pour indiquer une question, un ordre ou une recommandation. <description>

(63) 맛있다 [maditda]

délicieux, bon

Dont le goût est bon.

어머니가 해 주신 음식이 제일 <u>맛있어요</u>.

eomeoniga hae jusin eumsigi jeil masisseoyo.

어머니+가 <u>하+[여 주]</u>+시+ㄴ 음식+이 제일 맛있+어요.
　　　　　　 해 주신

어머니 : mère

가 : Particule qui indique l'objet d'un état ou d'une situation, ou le sujet d'une action.

하다 : acheter, offrir, se procurer, préparer, se munir de

-여 주다 : Expression indiquant le fait d'effectuer l'action exprimée par les propos précédents pour autrui.

-시- : Terminaison signifiant le fait de montrer du respect à l'auteur d'une action ou d'un état.

-ㄴ : Terminaison donnant la fonction de déterminant à la proposition précédente et indiquant que l'événement ou l'action en question est achevé et que cet état est maintenu.

음식 : le boire et le manger

이 : Particule qui indique l'objet d'un état ou d'une situation, ou le sujet d'une action.

제일 : Le(la) plus+adj parmi plusieurs.

맛있다 : délicieux, bon

-어요 : (forme honorifique non formelle) Terminaison finale pour décrire un fait ou pour indiquer une question, un ordre ou une recommandation. <description>

(64) 맵다 [maepda]

piquant, fort, pimenté

Qui met la bouche en feu ou qui pique le bout de la langue tel que le piment ou la moutarde.

김치가 너무 <u>매워요</u>.

gimchiga neomu maewoyo.

김치+가 너무 <u>맵(매우)</u>+어요.
                    매워요

김치 : kimchi
가 : Particule qui indique l'objet d'un état ou d'une situation, ou le sujet d'une action.
너무 : trop, excessivement, à l'excès, avec excès, outre mesure, démesurément
맵다 : piquant, fort, pimenté
-어요 : (forme honorifique non formelle) Terminaison finale pour décrire un fait ou pour indiquer une question, un ordre ou une recommandation. <description>

(65) 시다 [sida]

acide, aigre, vinaigré
Qui a un goût semblable au vinaigre.

과일이 모두 <u>셔요</u>.

gwairi modu syeoyo.

과일+이 모두 <u>시</u>+어요.
              셔요

과일 : fruit
이 : Particule qui indique l'objet d'un état ou d'une situation, ou le sujet d'une action.
모두 : tout
시다 : acide, aigre, vinaigré
-어요 : (forme honorifique non formelle) Terminaison finale pour décrire un fait ou pour indiquer une question, un ordre ou une recommandation. <description>

(66) 시원하다 [siwonhada]

(se sentir) léger, frais
(Aliment) Froid ou rafraîchissant au point d'être agréable à manger ou chaud au point de se sentir à l'aise.

국물이 <u>시원해요</u>.
gungmuri siwonhaeyo.

국물+이 <u>시원하</u>+<u>여요</u>.
        시원해요

국물 : bouillon, jus
이 : Particule qui indique l'objet d'un état ou d'une situation, ou le sujet d'une action.
시원하다 : (se sentir) léger, frais
-여요 : (forme honorifique non formelle) Terminaison finale pour décrire un fait ou pour indiquer une question, un ordre ou une recommandation. <description>

(67) 싱겁다 [singgeopda]

fade, insipide
(Préparation culinaire) Peu salé.

찌개에 물을 넣어서 <u>싱거워요</u>.
jjigaee mureul neoeoseo singgeowoyo.

찌개+에 물+을 넣+어서 <u>싱겁(싱거우)</u>+<u>어요</u>.
        싱거워요

찌개 : jjigae, ragoût
에 : Particule indiquant que la proposition précédente (en coréen) est l'objet influencé par une action ou un effet.
물 : eau, liquide
을 : Particule indiquant un objet directement influencé par un acte.
넣다 : Fusionner ou mélanger avec autre chose.
-어서 : Terminaison connective indiquant la raison ou la base.
싱겁다 : fade, insipide
-어요 : (forme honorifique non formelle) Terminaison finale pour décrire un fait ou pour indiquer une question, un ordre ou une recommandation. <description>

(68) 쓰다 [sseuda]

amer
Semblable au goût des médicaments.

아이가 먹기에 약이 너무 <u>써요</u>.

aiga meokgie yagi neomu sseoyo.

아이+가 먹+기+에 약+이 너무 <u>쓰(써)+어요</u>.

써요

아이 : enfant, petit, gamin, même, garçon, fillette

가 : Particule qui indique l'objet d'un état ou d'une situation, ou le sujet d'une action.

먹다 : prendre

-기 : Terminaison attribuant la fonction de nom à la proposition précédente.

에 : Particule utilisée pour indiquer que la proposition précédente est la condition, le milieu ou l'état de quelque chose.

약 : médicament, remède, préparation pharmaceutique, produit pharmaceutique, produit médicamenteux, pommade, crème, onguent

이 : Particule qui indique l'objet d'un état ou d'une situation, ou le sujet d'une action.

너무 : trop, excessivement, à l'excès, avec excès, outre mesure, démesurément

쓰다 : amer

-어요 : (forme honorifique non formelle) Terminaison finale pour décrire un fait ou pour indiquer une question, un ordre ou une recommandation. <description>

(69) 짜다 [jjada]

salé

Qui a le goût du sel.

소금을 많이 넣어서 국물이 <u>짜요</u>.

sogeumeul mani neoeoseo gungmuri jjayo.

소금+을 많이 넣+어서 국물+이 <u>짜+아요</u>.

짜요

소금 : sel

을 : Particule indiquant un objet directement influencé par un acte.

많이 : beaucoup

넣다 : Fusionner ou mélanger avec autre chose.

-어서 : Terminaison connective indiquant la raison ou la base.

국물 : bouillon, jus

이 : Particule qui indique l'objet d'un état ou d'une situation, ou le sujet d'une action.

짜다 : salé

-아요 : (forme honorifique non formelle) Terminaison finale pour décrire un fait ou pour

indiquer une question, un ordre ou une recommandation. <description>

(70) 깨끗하다 [kkaekkeutada]

propre, net, impeccable, nettoyé, nickel

(Chose) Qui est entièrement propre.

화장실이 정말 깨끗해요.

hwajangsiri jeongmal kkaekkeutaeyo.

화장실+이 정말 깨끗하+여요.
깨끗해요

화장실 : toilettes, sanitaire
이 : Particule qui indique l'objet d'un état ou d'une situation, ou le sujet d'une action.
정말 : véritablement, en vérité, tout à fait, réellement, très
깨끗하다 : propre, net, impeccable, nettoyé, nickel
-여요 : (forme honorifique non formelle) Terminaison finale pour décrire un fait ou pour indiquer une question, un ordre ou une recommandation. <description>

(71) 더럽다 [deoreopda]

sale, malpropre, souillé, sordide

Qui n'est pas propre ou qui est sale en raison de crasses ou de résidus.

차가 더러워서 세차를 했어요.

chaga deoreowoseo sechareul haesseoyo.

차+가 더럽(더러우)+어서 세차+를 하+였+어요.
더러워서   했어요

차 : voiture, véhicule, train
가 : Particule qui indique l'objet d'un état ou d'une situation, ou le sujet d'une action.
더럽다 : sale, malpropre, souillé, sordide
-어서 : Terminaison connective indiquant la raison ou la base.
세차 : lavage d'un véhicule
를 : Particule indiquant un objet directement influencé par un acte.
하다 : faire, exécuter, effectuer, s'occuper de

- 113 -

-였- : Terminaison indiquant une situation où un évènement a eu lieu dans le passé ou que le résultat de cet évènement se poursuit jusqu'à présent.
-어요 : (forme honorifique non formelle) Terminaison finale pour décrire un fait ou pour indiquer une question, un ordre ou une recommandation. <description>

(72) 불편하다 [bulpyeonhada]
inconfortable, incommode, gênant, peu pratique
Qui n'est pas confortable à utiliser.

이곳은 교통이 불편해요.
igoseun gyotongi bulpyeonhaeyo.

이곳+은 교통+이 불편하+여요.
　　　　　　　　불편해요

이곳 : ici
은 : Particule indiquant qu'un objet est le principal sujet (de conversation) d'une phrase.
교통 : circulation, trafic, transport
이 : Particule qui indique l'objet d'un état ou d'une situation, ou le sujet d'une action.
불편하다 : inconfortable, incommode, gênant, peu pratique
-여요 : (forme honorifique non formelle) Terminaison finale pour décrire un fait ou pour indiquer une question, un ordre ou une recommandation. <description>

(73) 시끄럽다 [sikkeureopda]
bruyant, tapageur
(Son) Fort et tumultueux, au point d'être désagréable à entendre.

시끄러운 소리가 들려요.
sikkeureoun soriga deullyeoyo.

시끄럽(시끄러우)+ㄴ 소리+가 들리+어요.
　시끄러운　　　　　　　들려요

시끄럽다 : bruyant, tapageur
-ㄴ : Terminaison donnant la fonction de déterminant à la proposition précédente et exprimant l'état présent.

소리 : son, bruit, éclat, ton
가 : Particule qui indique l'objet d'un état ou d'une situation, ou le sujet d'une action.
들리다 : entendre, s'entendre, être entendu, être perceptible, frapper l'oreille de quelqu'un
-어요 : (forme honorifique non formelle) Terminaison finale pour décrire un fait ou pour indiquer une question, un ordre ou une recommandation. <description>

(74) 조용하다 [joyonghada]

calme, tranquille, silencieux

Qui est sans bruit.

거리가 조용해요.
georiga joyonghaeyo.

거리+가 조용하+여요.
　　　　　조용해요

거리 : rue, route, boulevard, avenue
가 : Particule qui indique l'objet d'un état ou d'une situation, ou le sujet d'une action.
조용하다 : calme, tranquille, silencieux
-여요 : (forme honorifique non formelle) Terminaison finale pour décrire un fait ou pour indiquer une question, un ordre ou une recommandation. <description>

(75) 지저분하다 [jijeobunhada]

sale, désordonnée

Qui est en désordre par manque de rangement ou ménage.

길이 너무 지저분해요.
giri neomu jijeobunhaeyo.

길+이 너무 지저분하+여요.
　　　　　지저분해요

길 : voie, route, chaussée, rue, chemin, sentier, passage
이 : Particule qui indique l'objet d'un état ou d'une situation, ou le sujet d'une action.
너무 : trop, excessivement, à l'excès, avec excès, outre mesure, démesurément
지저분하다 : sale, désordonnée

-여요 : (forme honorifique non formelle) Terminaison finale pour décrire un fait ou pour indiquer une question, un ordre ou une recommandation. <description>

(76) 비싸다 [bissada]

cher, coûteux, onéreux

(Prix d'un objet ou coût pour faire quelque chose) Être plus élevé que la normale.

백화점은 시장보다 가격이 비싸요.

baekwajeomeun sijangboda gagyeogi bissayo.

백화점+은 시장+보다 가격+이 비싸+아요.
비싸요

백화점 : grand magasin
은 : Particule indiquant qu'un objet est le principal sujet (de conversation) d'une phrase.
시장 : marché
보다 : Particule indiquant l'objet de référence lors d'une comparaison de deux choses différentes.
가격 : prix
이 : Particule qui indique l'objet d'un état ou d'une situation, ou le sujet d'une action.
비싸다 : cher, coûteux, onéreux
-아요 : (forme honorifique non formelle) Terminaison finale pour décrire un fait ou pour indiquer une question, un ordre ou une recommandation. <description>

(77) 싸다 [ssada]

avantageux, bas, abordable, modéré, maigre

(Prix) Inférieur à la moyenne.

이 동네는 집값이 싸요.

i dongneneun jipgapsi ssayo.

이 동네+는 집값+이 싸+아요.
싸요

이 : ce (cet, cette, ces)
동네 : quartier, village, hameau

는 : Particule indiquant qu'un objet est le principal sujet (de conversation) d'une phrase.

집값 : prix de logement

이 : Particule qui indique l'objet d'un état ou d'une situation, ou le sujet d'une action.

싸다 : avantageux, bas, abordable, modéré, maigre

-아요 : (forme honorifique non formelle) Terminaison finale pour décrire un fait ou pour indiquer une question, un ordre ou une recommandation. <description>

(78) 덥다 [deopda]

chaud

(Température) Élevée, selon ce que l'on sent par le corps.

여름이 지났는데도 <u>더워요</u>.

yeoreumi jinanneundedo deowoyo.

여름+이 지나+았+는데도 덥(더우)+어요.
　　　　　지났는데도　　　　더워요

여름 : été

이 : Particule qui indique l'objet d'un état ou d'une situation, ou le sujet d'une action.

지나다 : passer, couler, s'écouler

-았- : Terminaison indiquant une situation où un évènement a eu lieu dans le passé ou que le résultat de cet évènement se poursuit jusqu'à présent.

-는데도 : Expression indiquant que la situation suivante se produit malgré la précédente.

덥다 : chaud

-어요 : (forme honorifique non formelle) Terminaison finale pour décrire un fait ou pour indiquer une question, un ordre ou une recommandation. <description>

(79) 따뜻하다 [ttatteutada]

chaud, chauffé, réchauffé

(Température) Qui est convenablement chaud au point d'être agréable sans être trop chauffé.

날씨가 <u>따뜻해요</u>.

nalssiga ttatteutaeyo.

날씨+가 따뜻하+여요.
　　　　따뜻해요

날씨 : temps
가 : Particule qui indique l'objet d'un état ou d'une situation, ou le sujet d'une action.
따뜻하다 : chaud, chauffé, réchauffé
-여요 : (forme honorifique non formelle) Terminaison finale pour décrire un fait ou pour indiquer une question, un ordre ou une recommandation. <description>

(80) 맑다 [makda]

clair, lumineux, éclatant, ensoleillé

(Temps) Beau du fait qu'il n'y ait pas de nuages ou de brouillard.

가을 하늘은 푸르고 <u>맑아요</u>.
gaeul haneureun pureugo malgayo.

가을 하늘+은 푸르+고 맑+아요.

가을 : automne
하늘 : ciel
은 : Particule indiquant qu'un objet est le principal sujet (de conversation) d'une phrase.
푸르다 : bleu, bleu d'azur, vert
-고 : Terminaison connective utilisée pour énumérer deux faits égaux ou plus.
맑다 : clair, lumineux, éclatant, ensoleillé
-아요 : (forme honorifique non formelle) Terminaison finale pour décrire un fait ou pour indiquer une question, un ordre ou une recommandation. <description>

(81) 선선하다 [seonseonhada]

frais, (adj.) faire frais

Qui est doux et agréable en donnant une sensation légèrement froide.

이제 아침저녁으로 <u>선선해요</u>.
ije achimjeonyeogeuro seonseonhaeyo.

이제 아침저녁+으로 <u>선선하+여요</u>.
선선해요

이제 : maintenant, à présent
아침저녁 : Matin et soir.

으로 : Particule indiquant un moment ou un temps donné.

선선하다 : frais, (adj.) faire frais

-여요 : (forme honorifique non formelle) Terminaison finale pour décrire un fait ou pour indiquer une question, un ordre ou une recommandation. <description>

(82) 쌀쌀하다 [ssalssalhada]

frisquet

(Temps) Frais au point d'avoir un peu froid.

바람이 꽤 쌀쌀해요.

barami kkwae ssalssalhaeyo.

바람+이 꽤 쌀쌀하+여요.
        쌀쌀해요

바람 : vent, brise, air

이 : Particule qui indique l'objet d'un état ou d'une situation, ou le sujet d'une action.

꽤 : relativement, assez, très

쌀쌀하다 : frisquet

-여요 : (forme honorifique non formelle) Terminaison finale pour décrire un fait ou pour indiquer une question, un ordre ou une recommandation. <description>

(83) 춥다 [chupda]

froid, glacial, glacé

(Température atmosphérique) Bas.

날이 추우니 따뜻하게 입으세요.

nari chuuni ttatteutage ibeuseyo.

날+이 춥(추우)+니 따뜻하+게 입+으세요.
        추우니

날 : temps

이 : Particule qui indique l'objet d'un état ou d'une situation, ou le sujet d'une action.

춥다 : froid, glacial, glacé

-니 : Terminaison connective indiquant que les propos précédents constituent la cause, la base et la présupposition des propos suivants.

따뜻하다 : chaud, chauffé, réchauffé

-게 : Terminaison connective indiquant que les propos précédents constituent l'objectif, le résultat, la méthode ou le degré des propos qui suivent.

입다 : porter, s'habiller

-으세요 : (forme honorifique non formelle) Terminaison finale pour indiquer une explication, une interrogation, un ordre ou une demande. <ordre>

(84) 흐리다 [heurida]

nuageux, brumeux, gris

(Temps) Qui n'est pas clair à cause des nuages, de la brume, etc.

안개 때문에 흐려서 앞이 안 보여요.

angae ttaemune heuryeoseo api an boyeoyo.

안개 때문+에 흐리+어서 앞+이 안 보이+어요.
　　　　　　　흐려서　　　　　　　　보여요

안개 : brouillard, brume

때문 : à cause de, comme, car

에 : Particule indiquant que la proposition précédente (en coréen) est la cause de quelque chose.

흐리다 : nuageux, brumeux, gris

-어서 : Terminaison connective indiquant la raison ou la base.

앞 : l'avant, le devant

이 : Particule qui indique l'objet d'un état ou d'une situation, ou le sujet d'une action.

안 : Terme désignant une négation ou une opposition.

보이다 : se montrer, apparaître, paraître, se voir, se faire voir, se présenter aux yeux, tomber sous les yeux, entrer dans le champ visuel

-어요 : (forme honorifique non formelle) Terminaison finale pour décrire un fait ou pour indiquer une question, un ordre ou une recommandation. <description>

(85) 가늘다 [ganeulda]

Pas d'expression équivalente

Qui n'est pas large, ou qui est fin et long.

저는 손가락이 <u>가늘어요</u>.
jeoneun songaragi ganeureoyo.

저+는 손가락+이 가늘+어요.

저 : moi, je
는 : Particule indiquant qu'un objet est le principal sujet (de conversation) d'une phrase.
손가락 : doigt, doigt de la main
이 : Particule qui indique l'objet d'un état ou d'une situation, ou le sujet d'une action.
가늘다 : Qui n'est pas large, ou qui est fin et long.
-어요 : (forme honorifique non formelle) Terminaison finale pour décrire un fait ou pour indiquer une question, un ordre ou une recommandation. <description>

(86) 같다 [gatda]
identique, pareil, égal, même
(Deux choses ou personnes) Non différentes.

저는 여동생과 키가 <u>같아요</u>.
jeoneun yeodongsaenggwa kiga gatayo.

저+는 여동생+과 키+가 같+아요.

저 : moi, je
는 : Particule indiquant qu'un objet est le principal sujet (de conversation) d'une phrase.
여동생 : Petite sœur.
과 : Particule exprimant que ce qui précède est un objet comparatif ou un objet de référence.
키 : taille, grandeur
가 : Particule qui indique l'objet d'un état ou d'une situation, ou le sujet d'une action.
같다 : identique, pareil, égal, même
-아요 : (forme honorifique non formelle) Terminaison finale pour décrire un fait ou pour indiquer une question, un ordre ou une recommandation. <description>

(87) 굵다 [gukda]
épais, gros
(Objet long) Qui a une dimension importante en termes de circonférence ou de largeur.

저는 허리가 <u>굵어요</u>.

jeoneun heoriga gulgeoyo.

저+는 허리+가 굵+어요.

저 : moi, je
는 : Particule indiquant qu'un objet est le principal sujet (de conversation) d'une phrase.
허리 : taille, reins, dos, hanche, côté
가 : Particule qui indique l'objet d'un état ou d'une situation, ou le sujet d'une action.
굵다 : épais, gros
-어요 : (forme honorifique non formelle) Terminaison finale pour décrire un fait ou pour indiquer une question, un ordre ou une recommandation. <description>

(88) 길다 [gilda]

long, allongé, prolongé

État dans lequel les deux extrémités d'un objet sont fortement éloignées.

치마 길이가 <u>길어요</u>.

chima giriga gireoyo.

치마 길이+가 길+어요.

치마 : jupe, jupette, minijupe
길이 : longueur
가 : Particule qui indique l'objet d'un état ou d'une situation, ou le sujet d'une action.
길다 : long, allongé, prolongé
-어요 : (forme honorifique non formelle) Terminaison finale pour décrire un fait ou pour indiquer une question, un ordre ou une recommandation. <description>

(89) 깊다 [gipda]

profond

Dont la distance entre la surface et le fond ou entre l'extérieur et l'intérieur est grande.

물이 <u>깊으니</u> 들어가지 마세요.

muri gipeuni deureogaji maseyo.

물+이 깊+으니 들어가+[지 말(마)]+세요.

들어가지 마세요

물 : cours d'eau, rivière

이 : Particule qui indique l'objet d'un état ou d'une situation, ou le sujet d'une action.

깊다 : profond

-으니 : Terminaison connective indiquant que les propos précédents constituent la cause, la base ou la présupposition des propos qui suivent.

들어가다 : entrer, pénétrer, arriver, s'engager, s'enfoncer

-지 말다 : Expression pour indiquer que le locuteur interdit l'action de la proposition précédente.

-세요 : (forme honorifique non formelle) Terminaison finale pour indiquer une explication, une interrogation, un ordre ou une demande. <ordre>

(90) 낮다 [natda]

bas, peu élevé

De faible hauteur.

저는 굽이 낮은 구두를 즐겨 신어요.

jeoneun gubi najeun gudureul jeulgyeo sineoyo.

저+는 굽+이 낮+은 구두+를 즐기+어 신+어요.

즐겨

저 : moi, je

는 : Particule indiquant qu'un objet est le principal sujet (de conversation) d'une phrase.

굽 : talon

이 : Particule qui indique l'objet d'un état ou d'une situation, ou le sujet d'une action.

낮다 : bas, peu élevé

-은 : Terminaison donnant la fonction de déterminant à la proposition précédente et exprimant l'état présent.

구두 : chaussure, soulier

를 : Particule indiquant un objet directement influencé par un acte.

즐기다 : se réjouir de quelque chose

-어 : Terminaison connective indiquant que la proposition précédente s'est réalisée avant la suivante, ou qu'elle constitue une méthode ou un moyen pour accomplir ce qui est dans la proposition suivante.

신다 : porter, mettre

-어요 : (forme honorifique non formelle) Terminaison finale pour décrire un fait ou pour

indiquer une question, un ordre ou une recommandation. <description>

(91) 넓다 [neolda]

large, spacieux, étendu, vaste

(Superficie d'une surface, d'un sol, etc.) Qui est grande.

넓은 이마를 가리려고 앞머리를 내렸어요.

neolbeun imareul gariryeogo ammeorireul naeryeosseoyo.

넓+은 이마+를 가리+려고 앞머리+를 <u>내리+었+어요</u>.
내렸어요

넓다 : large, spacieux, étendu, vaste
-은 : Terminaison donnant la fonction de déterminant à la proposition précédente et exprimant l'état présent.
이마 : front
를 : Particule indiquant un objet directement influencé par un acte.
가리다 : bloquer, masquer, couvrir
-려고 : Terminaison connective exprimant l'intention ou le désir d'effectuer une action.
앞머리 : frange, cheveux sur le front
를 : Particule indiquant un objet directement influencé par un acte.
내리다 : Tirer ou faire s'allonger vers un emplacement plus bas ou vers le bas quelque chose en hauteur.
-었- : Terminaison indiquant une situation où un évènement a eu lieu dans le passé ou que le résultat de cet évènement se poursuit jusqu'à présent.
-어요 : (forme honorifique non formelle) Terminaison finale pour décrire un fait ou pour indiquer une question, un ordre ou une recommandation. <description>

(92) 높다 [nopda]

haut, élevé, grand

(Longueur de bas en haut) Qui est long.

서울에는 높은 빌딩이 많아요.

seoureuneun nopeun bildingi manayo.

서울+에+는 높+은 빌딩+이 많+아요.

서울 : Seoul, Séoul

에 : Particule indiquant que la proposition précédente (en coréen) est un lieu ou un emplacement.

는 : Particule indiquant qu'un objet est le principal sujet (de conversation) d'une phrase.

높다 : haut, élevé, grand

-은 : Terminaison donnant la fonction de déterminant à la proposition précédente et exprimant l'état présent.

빌딩 : immeuble, bâtiment

이 : Particule qui indique l'objet d'un état ou d'une situation, ou le sujet d'une action.

많다 : nombreux, abondant, riche, plein, rempli

-아요 : (forme honorifique non formelle) Terminaison finale pour décrire un fait ou pour indiquer une question, un ordre ou une recommandation. <description>

(93) 다르다 [dareuda]

différent, divergent, dissemblable

(Deux objets) Qui ne sont pas semblables.

저는 언니와 성격이 많이 <u>달라요</u>.

jeoneun eonniwa seonggyeogi mani dallayo.

저+는 언니+와 성격+이 많이 <u>다르(달ㄹ)+아요</u>.
달라요

저 : moi, je

는 : Particule indiquant qu'un objet est le principal sujet (de conversation) d'une phrase.

언니 : grande sœur

와 : Particule indiquant que le mot est un objet de comparaison ou un critère.

성격 : Caractère ou tempérament propre à un individu.

이 : Particule qui indique l'objet d'un état ou d'une situation, ou le sujet d'une action.

많이 : beaucoup

다르다 : différent, divergent, dissemblable

-아요 : (forme honorifique non formelle) Terminaison finale pour décrire un fait ou pour indiquer une question, un ordre ou une recommandation. <description>

(94) 닮다 [damda]

être semblable, être pareil, être ressemblant, ressembler à, tenir de, se ressembler

(Deux personnes ou objets voire plus) Avoir une apparence ou une nature semblable.

저는 언니와 안 <u>닮았어요</u>.

jeoneun eonniwa an dalmasseoyo.

저+는 언니+와 안 닮+았+어요.

저 : moi, je
는 : Particule indiquant qu'un objet est le principal sujet (de conversation) d'une phrase.
언니 : grande sœur
와 : Particule indiquant que le mot est un objet de comparaison ou un critère.
안 : Terme désignant une négation ou une opposition.
닮다 : être semblable, être pareil, être ressemblant, ressembler à, tenir de, se ressembler
-았- : Terminaison indiquant une situation où un évènement a eu lieu dans le passé ou que le résultat de cet évènement se poursuit jusqu'à présent.
-어요 : (forme honorifique non formelle) Terminaison finale pour décrire un fait ou pour indiquer une question, un ordre ou une recommandation. <description>

(95) 두껍다 [dukkeopda]
épais, gros
Dont la longueur entre deux côtés parallèles d'un objet est importante.

고기를 <u>두껍게</u> 썰어서 잘 안 익어요.

gogireul dukkeopge sseoreoseo jal an igeoyo.

고기+를 두껍+게 썰+어서 잘 안 익+어요.

고기 : viande, chair
를 : Particule indiquant un objet directement influencé par un acte.
두껍다 : épais, gros
-게 : Terminaison connective indiquant que les propos précédents constituent l'objectif, le résultat, la méthode ou le degré des propos qui suivent.
썰다 : découper
-어서 : Terminaison connective indiquant la raison ou la base.
잘 : au bon moment, quand il faut
안 : Terme désignant une négation ou une opposition.
익다 : cuire
-어요 : (forme honorifique non formelle) Terminaison finale pour décrire un fait ou pour indiquer une question, un ordre ou une recommandation. <description>

(96) 똑같다 [ttokgatda]

identique, pareil, (adj.) la même chose

(Aspect, quantité, caractère de deux ou plusieurs objets) Qui n'ont aucune différence l'un l'autre.

저와 똑같은 이름을 가진 사람들이 많아요.

jeowa ttokgateun ireumeul gajin saramdeuri manayo.

저+와 똑같+은 이름+을 <u>가지+ㄴ</u> 사람+들+이 많+아요.
가진

저 : moi, je

와 : Particule indiquant que le mot est un objet de comparaison ou un critère.

똑같다 : identique, pareil, (adj.) la même chose

-은 : Terminaison donnant la fonction de déterminant à la proposition précédente et exprimant l'état présent.

이름 : prénom

을 : Particule indiquant un objet directement influencé par un acte.

가지다 : avoir, posséder

-ㄴ : Terminaison donnant la fonction de déterminant à la proposition précédente et indiquant que l'événement ou l'action en question est achevé et que cet état est maintenu.

사람 : homme, personne, gens, monsieur

들 : Suffixe signifiant « pluriel ».

이 : Particule qui indique l'objet d'un état ou d'une situation, ou le sujet d'une action.

많다 : nombreux, abondant, riche, plein, rempli

-아요 : (forme honorifique non formelle) Terminaison finale pour décrire un fait ou pour indiquer une question, un ordre ou une recommandation. <description>

(97) 멋있다 [meoditda]

chic, élégant

Qui est très bon ou excellent.

새로 산 옷인데 멋있어요?

saero san osinde meosisseoyo?

새로 <u>사+ㄴ</u> 옷+이+ㄴ데 멋있+어요?
산   옷인데

새로 : de nouveau, nouvellement
사다 : acheter
-ㄴ : Terminaison donnant la fonction de déterminant à la proposition précédente et indiquant que l'événement ou l'action en question est achevé et que cet état est maintenu.
옷 : vêtement, habit, effets
이다 : Particule du cas prédicatif pour indiquer la caractéristique ou la catégorie d'un objet qui se rapporte au sujet d'une phrase.
-ㄴ데 : Terminaison connective indiquant qu'afin de formuler les propos suivants, le locuteur parle à l'avance d'une situation en rapport avec l'objet de ces propos.
멋있다 : chic, élégant
-어요 : (forme honorifique non formelle) Terminaison finale pour décrire un fait ou pour indiquer une question, un ordre ou une recommandation. <question>

(98) 비슷하다 [biseutada]

semblable, ressemblant

(Taille, forme, état, nature etc. de deux choses ou plus) Qui n'est pas identique, mais a beaucoup de similitudes.

학교 건물이 모두 비슷해요.
hakgyo geonmuri modu biseutaeyo.

학교 건물+이 모두 비슷하+여요.
비슷해요

학교 : école, établissement scolaire, établissement d'enseignement, école primaire, collège, lycée, université, institution
건물 : bâtiment, immeuble
이 : Particule qui indique l'objet d'un état ou d'une situation, ou le sujet d'une action.
모두 : tout
비슷하다 : semblable, ressemblant
-여요 : (forme honorifique non formelle) Terminaison finale pour décrire un fait ou pour indiquer une question, un ordre ou une recommandation. <description>

(99) 얇다 [yalda]

mince, fin, léger

Qui est peu épais.

얇은 옷을 입고 나와서 좀 추워요.

yalbeun oseul ipgo nawaseo jom chuwoyo.

얇+은 옷+을 입+고 <u>나오+아서</u> 좀 <u>춥(추우)+어요</u>.
　　　　　　　　　　나와서　　　　　추워요

얇다 : mince, fin, léger

-은 : Terminaison donnant la fonction de déterminant à la proposition précédente et exprimant l'état présent.

옷 : vêtement, habit, effets

을 : Particule indiquant un objet directement influencé par un acte.

입다 : porter, s'habiller

-고 : Terminaison connective indiquant que l'action exprimée par les propos précédents ou le résultat de cette action continuent pendant que se déroule l'action suivante.

나오다 : sortir dehors, sortir de

-아서 : Terminaison connective indiquant la raison ou la base.

좀 : peu, guère, quelques, légèrement

춥다 : froid, glacial, glacé

-어요 : (forme honorifique non formelle) Terminaison finale pour décrire un fait ou pour indiquer une question, un ordre ou une recommandation. <description>

(100) 작다 [jakda]

petit, tout petit, minuscule, court

(Longueur, largeur, volume, etc. de quelque chose) Inférieur à une autre chose ou la moyenne.

언니는 키가 저보다 **작아요**.

eonnineun kiga jeoboda jagayo.

언니+는 키+가 저+보다 작+아요.

언니 : grande sœur

는 : Particule indiquant qu'un objet est le principal sujet (de conversation) d'une phrase.

키 : taille, grandeur

가 : Particule qui indique l'objet d'un état ou d'une situation, ou le sujet d'une action.

저 : moi, je

보다 : Particule indiquant l'objet de référence lors d'une comparaison de deux choses différentes.

작다 : petit, tout petit, minuscule, court

-아요 : (forme honorifique non formelle) Terminaison finale pour décrire un fait ou pour indiquer une question, un ordre ou une recommandation. <description>

(101) 좁다 [jopda]

étroit

(Superficie d'une surface, d'un sol, etc.) Qui est petite.

여기는 주차장이 좁아요.

yeogineun juchajangi jobayo.

여기+는 주차장+이 좁+아요.

여기 : ici
는 : Particule indiquant qu'un objet est le principal sujet (de conversation) d'une phrase.
주차장 : parking, parc de stationnement
이 : Particule qui indique l'objet d'un état ou d'une situation, ou le sujet d'une action.
좁다 : étroit
-아요 : (forme honorifique non formelle) Terminaison finale pour décrire un fait ou pour indiquer une question, un ordre ou une recommandation. <description>

(102) 짧다 [jjalda]

court

(Espace ou objet) Qui a une courte distance entre ses deux extrémités.

긴 머리를 짧게 잘랐어요.

gin meorireul jjalge jallasseoyo.

길(기)+ㄴ 머리+를 짧+게 자르(잘ㄹ)+았+어요.
   긴   잘랐어요

길다 : long, allongé, prolongé
-ㄴ : Terminaison donnant la fonction de déterminant à la proposition précédente et exprimant l'état présent.
머리 : cheveu, chevelure, mèche, mèche de cheveux, tête
를 : Particule indiquant un objet directement influencé par un acte.
짧다 : court

-게 : Terminaison connective indiquant que les propos précédents constituent l'objectif, le résultat, la méthode ou le degré des propos qui suivent.

자르다 : couper

-았- : Terminaison indiquant une situation où un évènement a eu lieu dans le passé ou que le résultat de cet évènement se poursuit jusqu'à présent.

-어요 : (forme honorifique non formelle) Terminaison finale pour décrire un fait ou pour indiquer une question, un ordre ou une recommandation. <description>

(103) 크다 [keuda]

grand, large

Qui dépasse le degré ordinaire, en parlant de la longueur, de la superficie, de la hauteur, du volume, etc.

피자가 생각보다 훨씬 커요.

pijaga saenggakboda hwolssin keoyo.

피자+가 생각+보다 훨씬 크(ㅋ)+어요.
커요

피자 : pizza

가 : Particule qui indique l'objet d'un état ou d'une situation, ou le sujet d'une action.

생각 : prévision

보다 : Particule indiquant l'objet de référence lors d'une comparaison de deux choses différentes.

훨씬 : beaucoup, encore

크다 : grand, large

-어요 : (forme honorifique non formelle) Terminaison finale pour décrire un fait ou pour indiquer une question, un ordre ou une recommandation. <description>

(104) 화려하다 [hwaryeohada]

splendide, brillant

Qui est doux, brillant et beau à voir.

방 안을 화려하게 꾸몄어요.

bang aneul hwaryeohage kkumyeosseoyo.

방 안+을 화려하+게 <u>꾸미+었+어요</u>.
꾸몄어요

방 : pièce, chambre, piaule, salle

안 : (n.) intérieur, à l'intérieur de, au dedans de, dedans, dans

을 : Particule indiquant un objet directement influencé par un acte.

화려하다 : splendide, brillant

-게 : Terminaison connective indiquant que les propos précédents constituent l'objectif, le résultat, la méthode ou le degré des propos qui suivent.

꾸미다 : décorer, orner, parer

-었- : Terminaison indiquant une situation où un évènement a eu lieu dans le passé ou que le résultat de cet évènement se poursuit jusqu'à présent.

-어요 : (forme honorifique non formelle) Terminaison finale pour décrire un fait ou pour indiquer une question, un ordre ou une recommandation. <description>

(105) 가볍다 [gabyeopda]

léger

(Poids) Qui n'est pas lourd.

이 노트북은 아주 <u>가벼워요</u>.

i noteubugeun aju gabyeowoyo.

이 노트북+은 아주 <u>가볍(가벼우)+어요</u>.
가벼워요

이 : ce (cet, cette, ces)

노트북 : ordinateur portable

은 : Particule indiquant qu'un objet est le principal sujet (de conversation) d'une phrase.

아주 : très, tout, vraiment, réellement, véritablement, tout à fait, extrêmement, entièrement, terriblement, remarquablement

가볍다 : léger

-어요 : (forme honorifique non formelle) Terminaison finale pour décrire un fait ou pour indiquer une question, un ordre ou une recommandation. <description>

(106) 강하다 [ganghada]

fort, puissant, solide, robuste

Qui a beaucoup de force.

오늘은 바람이 <u>강하게</u> 불고 있어요.
oneureun barami ganghage bulgo isseoyo.

오늘+은 바람+이 강하+게 불+[고 있]+어요.

오늘 : aujourd'hui, ce jour
은 : Particule indiquant qu'un objet est le principal sujet (de conversation) d'une phrase.
바람 : vent, brise, air
이 : Particule qui indique l'objet d'un état ou d'une situation, ou le sujet d'une action.
강하다 : fort, puissant, solide, robuste
-게 : Terminaison connective indiquant que les propos précédents constituent l'objectif, le résultat, la méthode ou le degré des propos qui suivent.
불다 : souffler
-고 있다 : Expression pour indiquer que l'action de la proposition précédente est toujours en cours.
-어요 : (forme honorifique non formelle) Terminaison finale pour décrire un fait ou pour indiquer une question, un ordre ou une recommandation. <description>

(107) 무겁다 [mugeopda]
lourd, pesant
Qui pèse lourd.

저는 보기보다 <u>무거워요</u>.
jeoneun bogiboda mugeowoyo.

저+는 보+기+보다 <u>무겁(무거우)+어요</u>.
무거워요

저 : moi, je
는 : Particule indiquant qu'un objet est le principal sujet (de conversation) d'une phrase.
보다 : voir, regarder, distinguer, apercevoir, percevoir, remarquer, repérer, constater
-기 : Terminaison attribuant la fonction de nom à la proposition précédente.
보다 : Particule indiquant l'objet de référence lors d'une comparaison de deux choses différentes.
무겁다 : lourd, pesant
-어요 : (forme honorifique non formelle) Terminaison finale pour décrire un fait ou pour indiquer une question, un ordre ou une recommandation. <description>

(108) 부드럽다 [budeureopda]

doux, soyeux, satiné, tendre, lisse, moelleux, douillet, velouté
Qui provoque une sensation lisse, et non pas grossière ni rude au toucher.

이 운동화는 가볍고 안쪽이 <u>부드러워요</u>.

i undonghwaneun gabyeopgo anjjogi budeureowoyo.

이 운동화+는 가볍+고 안쪽+이 <u>부드럽(부드러우)+어요</u>.
　　　　　　　　　　　　　　　　부드러워요

이 : ce (cet, cette, ces)
운동화 : baskets, chaussures de sport
는 : Particule indiquant qu'un objet est le principal sujet (de conversation) d'une phrase.
가볍다 : léger
-고 : Terminaison connective utilisée pour énumérer deux faits égaux ou plus.
안쪽 : intérieur, face intérieure
이 : Particule qui indique l'objet d'un état ou d'une situation, ou le sujet d'une action.
부드럽다 : doux, soyeux, satiné, tendre, lisse, moelleux, douillet, velouté
-어요 : (forme honorifique non formelle) Terminaison finale pour décrire un fait ou pour indiquer une question, un ordre ou une recommandation. <description>

(109) 새롭다 [saeropda]

neuf, nouveau, inconnu
Qui est différent de ce qui était jusqu'alors ou qui n'avait jamais existé auparavant.

요즘 <u>새로운</u> 취미가 생겼어요?

yojeum saeroun chwimiga saenggyeosseoyo?

요즘 <u>새롭(새로우)+ㄴ</u> 취미+가 <u>생기+었+어요</u>?
　　　새로운　　　　　　　　　생겼어요

요즘 : aujourd'hui, maintenant
새롭다 : neuf, nouveau, inconnu
-ㄴ : Terminaison donnant la fonction de déterminant à la proposition précédente et exprimant l'état présent.
취미 : hobby, passe-temps
가 : Particule qui indique l'objet d'un état ou d'une situation, ou le sujet d'une action.

생기다 : se créer, apparaître, se former, être formé, s'établir, être établi, se fonder, être fondé, se présenter, être présenté, se construire, être construit, être constitué, naître, surgir

-었- : Terminaison indiquant une situation où un évènement a eu lieu dans le passé ou que le résultat de cet évènement se poursuit jusqu'à présent.

-어요 : (forme honorifique non formelle) Terminaison finale pour décrire un fait ou pour indiquer une question, un ordre ou une recommandation. <question>

(110) 느리다 [neurida]

lent

(Temps pris pour réaliser une action) Long.

저는 걸음이 느려요.

jeoneun georeumi neuryeoyo.

저+는 걸음+이 느리+어요.
　　　　　　　　느려요

저 : moi, je

는 : Particule indiquant qu'un objet est le principal sujet (de conversation) d'une phrase.

걸음 : marche, allure, pas, démarche

이 : Particule qui indique l'objet d'un état ou d'une situation, ou le sujet d'une action.

느리다 : lent

-어요 : (forme honorifique non formelle) Terminaison finale pour décrire un fait ou pour indiquer une question, un ordre ou une recommandation. <description>

(111) 빠르다 [ppareuda]

rapide

(Temps nécessaire pour faire une action) Court.

제 친구는 말이 너무 빨라요.

je chinguneun mari neomu ppallayo.

저+의 친구+는 말+이 너무 빠르(빨ㄹ)+아요.
　제　　　　　　　　　　　빨라요

저 : moi, je

의 : Particule pour indiquer que la proposition précédente prend une relation de possession, d'appartenance, d'emplacement, de relation, d'origine ou de sujet d'action par rapport à la proposition suivante.

친구 : ami, amie, camarade, copain, copine, compagnon

는 : Particule indiquant qu'un objet est le principal sujet (de conversation) d'une phrase.

말 : Son d'un homme exprimant ou transmettant ses pensées ou ses sentiments.

이 : Particule qui indique l'objet d'un état ou d'une situation, ou le sujet d'une action.

너무 : trop, excessivement, à l'excès, avec excès, outre mesure, démesurément

빠르다 : rapide

-아요 : (forme honorifique non formelle) Terminaison finale pour décrire un fait ou pour indiquer une question, un ordre ou une recommandation. <description>

(112) 뜨겁다 [tteugeopda]

chaud, brûlant, ardent

(Température de quelque chose) Élevée.

국물이 <u>뜨거우니</u> 조심하세요.

gungmuri tteugeouni josimhaseyo.

국물+이 <u>뜨겁(뜨거우)+니</u> 조심하+세요.
　　　　　　뜨거우니

국물 : bouillon, jus

이 : Particule qui indique l'objet d'un état ou d'une situation, ou le sujet d'une action.

뜨겁다 : chaud, brûlant, ardent

-니 : Terminaison connective indiquant que les propos précédents constituent la cause, la base et la présupposition des propos suivants.

조심하다 : prendre garde, se mettre en garde, prendre des précautions, se méfier de

-세요 : (forme honorifique non formelle) Terminaison finale pour indiquer une explication, une interrogation, un ordre ou une demande. <ordre>

(113) 차갑다 [chagapda]

froid, glacial

Qui donne une sensation de froid au toucher sur la peau.

이 물은 <u>차갑지</u> 않아요.
i mureun chagapji anayo.

이 물+은 차갑+[지 않]+아요.

이 : ce (cet, cette, ces)
물 : eau, liquide
은 : Particule indiquant qu'un objet est le principal sujet (de conversation) d'une phrase.
차갑다 : froid, glacial
-지 않다 : Expression pour indiquer la négation d'une action ou d'un état précisé dans la proposition précédente.
-아요 : (forme honorifique non formelle) Terminaison finale pour décrire un fait ou pour indiquer une question, un ordre ou une recommandation. <description>

(114) 차다 [chada]

froid, glacial, frais

Qui ne procure aucune impression de chaleur du fait de sa basse température.

저는 손이 <u>찬</u> 편이에요.
jeoneun soni chan pyeonieyo.

저+는 손+이 <u>차+[ㄴ 편이]</u>+에요.
        찬 편이에요

저 : moi, je
는 : Particule indiquant qu'un objet est le principal sujet (de conversation) d'une phrase.
손 : main
이 : Particule qui indique l'objet d'un état ou d'une situation, ou le sujet d'une action.
차다 : froid, glacial, frais
-ㄴ 편이다 : Expression utilisée quand le locuteur indique qu'un fait est proche d'un côté ou en fait partie au lieu de le dire de manière catégorique.
-에요 : (forme honorifique non formelle) Terminaison finale pour décrire un fait ou pour indiquer une question. <description>

(115) 밝다 [bakda]

clair, éclairé, radieux

(Lumière émise par un objet) Qui est lumineux.

조명이 너무 <u>밝아서</u> 눈이 부셔요.

jomyeongi neomu balgaseo nuni busyeoyo.

조명+이 너무 밝+아서 눈+이 <u>부시+어요</u>.

부셔요

조명 : éclairage, illumination
이 : Particule qui indique l'objet d'un état ou d'une situation, ou le sujet d'une action.
너무 : trop, excessivement, à l'excès, avec excès, outre mesure, démesurément
밝다 : clair, éclairé, radieux
-아서 : Terminaison connective indiquant la raison ou la base.
눈 : œil
이 : Particule qui indique l'objet d'un état ou d'une situation, ou le sujet d'une action.
부시다 : éblouissant, aveuglant
-어요 : (forme honorifique non formelle) Terminaison finale pour décrire un fait ou pour indiquer une question, un ordre ou une recommandation. <description>

(116) 어둡다 [eodupda]

sombre, obscur, ténébreux

Qui manque de clarté due à l'absence ou de la faible intensité de la lumière.

해가 져서 밖이 <u>어두워요</u>.

haega jeoseo bakki eoduwoyo.

해+가 <u>지+어서</u> 밖+이 <u>어둡(어두우)+어요</u>.

져서   어두워요

해 : soleil
가 : Particule qui indique l'objet d'un état ou d'une situation, ou le sujet d'une action.
지다 : se coucher
-어서 : Terminaison connective indiquant la raison ou la base.
밖 : dehors
이 : Particule qui indique l'objet d'un état ou d'une situation, ou le sujet d'une action.
어둡다 : sombre, obscur, ténébreux
-어요 : (forme honorifique non formelle) Terminaison finale pour décrire un fait ou pour indiquer une question, un ordre ou une recommandation. <description>

(117) 까맣다 [kkamata]

tout noir

Totalement noir comme le ciel nocturne sans aucune lumière.

머리를 까맣게 염색했어요.

meorireul kkamake yeomsaekaesseoyo.

머리+를 까맣+게 염색하+였+어요.
염색했어요

머리 : cheveu, chevelure, mèche, mèche de cheveux, tête
를 : Particule indiquant un objet directement influencé par un acte.
까맣다 : tout noir
-게 : Terminaison connective indiquant que les propos précédents constituent l'objectif, le résultat, la méthode ou le degré des propos qui suivent.
염색하다 : teindre
-였- : Terminaison indiquant une situation où un évènement a eu lieu dans le passé ou que le résultat de cet évènement se poursuit jusqu'à présent.
-어요 : (forme honorifique non formelle) Terminaison finale pour décrire un fait ou pour indiquer une question, un ordre ou une recommandation. <description>

(118) 검다 [geomda]

noir, foncé, sombre

(Couleur de quelque chose) Obscure et foncée comme le ciel nocturne où il n'y a aucune lumière.

햇볕에 살이 검게 탔어요.

haetbyeote sari geomge tasseoyo.

햇볕+에 살+이 검+게 타+았+어요.
탔어요

햇볕 : soleil, ensoleillement, chaleur du soleil
에 : Particule indiquant que la proposition précédente (en coréen) est la cause de quelque chose.
살 : peau
이 : Particule qui indique l'objet d'un état ou d'une situation, ou le sujet d'une action.

검다 : noir, foncé, sombre

-게 : Terminaison connective indiquant que les propos précédents constituent l'objectif, le résultat, la méthode ou le degré des propos qui suivent.

타다 : se faire bronzer, bronzer

-았- : Terminaison indiquant une situation où un évènement a eu lieu dans le passé ou que le résultat de cet évènement se poursuit jusqu'à présent.

-어요 : (forme honorifique non formelle) Terminaison finale pour décrire un fait ou pour indiquer une question, un ordre ou une recommandation. <description>

(119) 노랗다 [norata]

jaune

Dont la couleur est similaire à celle des bananes ou du citron.

저 사람은 머리 색깔이 <u>노래요</u>.

jeo sarameun meori saekkkari noraeyo.

저 사람+은 머리 색깔+이 <u>노랗+아요</u>.

노래요

저 : ce, celui-là(celle-là)

사람 : homme, personne, gens, monsieur

은 : Particule indiquant qu'un objet est le principal sujet (de conversation) d'une phrase.

머리 : cheveu, chevelure, mèche, mèche de cheveux, tête

색깔 : couleur

이 : Particule qui indique l'objet d'un état ou d'une situation, ou le sujet d'une action.

노랗다 : jaune

-아요 : (forme honorifique non formelle) Terminaison finale pour décrire un fait ou pour indiquer une question, un ordre ou une recommandation. <description>

(120) 붉다 [bukda]

rouge

Qui a une couleur comme celle du sang ou d'un piment bien mûr.

<u>붉은</u> 태양이 떠오르고 있어요.

bulgeun taeyangi tteooreugo isseoyo.

붉+은 태양+이 떠오르+[고 있]+어요.

붉다 : rouge

-은 : Terminaison donnant la fonction de déterminant à la proposition précédente et exprimant l'état présent.

태양 : soleil

이 : Particule qui indique l'objet d'un état ou d'une situation, ou le sujet d'une action.

떠오르다 : flotter, faire surface, émerger

-고 있다 : Expression pour indiquer que l'action de la proposition précédente est toujours en cours.

-어요 : (forme honorifique non formelle) Terminaison finale pour décrire un fait ou pour indiquer une question, un ordre ou une recommandation. <description>

(121) 빨갛다 [ppalgata]

rouge

Qui est d'une couleur vive et foncée, comme le sang ou un piment bien mûr.

코가 왜 이렇게 빨개요?

koga wae ireoke ppalgaeyo?

코+가 왜 이렇+게 빨갛+아요?
                    빨개요

코 : nez

가 : Particule qui indique l'objet d'un état ou d'une situation, ou le sujet d'une action.

왜 : pourquoi, dans quelle intention, à quelle fin

이렇다 : tel

-게 : Terminaison connective indiquant que les propos précédents constituent l'objectif, le résultat, la méthode ou le degré des propos qui suivent.

빨갛다 : rouge

-아요 : (forme honorifique non formelle) Terminaison finale pour décrire un fait ou pour indiquer une question, un ordre ou une recommandation. <question>

(122) 파랗다 [parata]

bleu, bleu d'azur

Qui est clair et vif comme la couleur du ciel dégagé de l'automne ou de la mer profonde.

왜 이마에 멍이 파랗게 들었어요?

wae imae meongi parake deureosseoyo?

왜 이마+에 멍+이 파랗+게 들+었+어요?

왜 : pourquoi, dans quelle intention, à quelle fin

이마 : front

에 : Particule indiquant que la proposition précédente (en coréen) est un lieu ou un emplacement.

멍 : bleu, contusion, meurtrissure, ecchymose

이 : Particule qui indique l'objet d'un état ou d'une situation, ou le sujet d'une action.

파랗다 : bleu, bleu d'azur

-게 : Terminaison connective indiquant que les propos précédents constituent l'objectif, le résultat, la méthode ou le degré des propos qui suivent.

들다 : avoir une maladie, contracter une maladie, être atteint d'une maladie, tomber malade

-었- : Terminaison indiquant une situation où un évènement a eu lieu dans le passé ou que le résultat de cet évènement se poursuit jusqu'à présent.

-어요 : (forme honorifique non formelle) Terminaison finale pour décrire un fait ou pour indiquer une question, un ordre ou une recommandation. <question>

(123) 푸르다 [pureuda]

bleu, bleu d'azur, vert

Qui est clair et vif comme la couleur du ciel dégagé de l'automne, de la mer profonde ou des herbes fraîches.

바다가 넓고 푸르러요.

badaga neolgo pureureoyo.

바다+가 넓+고 푸르+어요(러요).

푸르러요

바다 : Sur la Terre, partie autre que la terre et remplie d'eau salée.

가 : Particule qui indique l'objet d'un état ou d'une situation, ou le sujet d'une action.

넓다 : large, spacieux, étendu, vaste

-고 : Terminaison connective utilisée pour énumérer deux faits égaux ou plus.

푸르다 : bleu, bleu d'azur, vert

-어요 : (forme honorifique non formelle) Terminaison finale pour décrire un fait ou pour indiquer une question, un ordre ou une recommandation. <description>

(124) 하얗다 [hayata]

blanc

Clair et net, semblable à la couleur de la neige ou du lait.

눈이 내려서 세상이 <u>하얗게</u> 변했어요.

nuni naeryeoseo sesangi hayake byeonhaesseoyo.

눈+이 <u>내리+어서</u> 세상+이 하얗+게 <u>변하+였+어요</u>.
　　　　내려서　　　　　　　　　　**변했어요**

눈 : neige
이 : Particule qui indique l'objet d'un état ou d'une situation, ou le sujet d'une action.
내리다 : tomber, être donné, venir
-어서 : Terminaison connective indiquant la raison ou la base.
세상 : monde, univers
이 : Particule qui indique l'objet d'un état ou d'une situation, ou le sujet d'une action.
하얗다 : blanc
-게 : Terminaison connective indiquant que les propos précédents constituent l'objectif, le résultat, la méthode ou le degré des propos qui suivent.
변하다 : changer, se transformer, évoluer
-였- : Terminaison indiquant une situation où un évènement a eu lieu dans le passé ou que le résultat de cet évènement se poursuit jusqu'à présent.
-어요 : (forme honorifique non formelle) Terminaison finale pour décrire un fait ou pour indiquer une question, un ordre ou une recommandation. <description>

(125) 희다 [hida]

blanc

Clair et net, semblable à la couleur de la neige ou du lait.

동생은 얼굴이 <u>희고</u> 머리카락이 까매요.

dongsaengeun eolguri huigo meorikaragi kkamaeyo.

동생+은 얼굴+이 희+고 머리카락+이 까맣+아요.
　　　　　　　　　　　　　　까매요

동생 : jeune frère, jeune sœur, petit frère, petite sœur, frère cadet, sœur cadette
은 : Particule indiquant qu'un objet est le principal sujet (de conversation) d'une phrase.

얼굴 : visage
이 : Particule qui indique l'objet d'un état ou d'une situation, ou le sujet d'une action.
희다 : blanc
-고 : Terminaison connective utilisée pour énumérer deux faits égaux ou plus.
머리카락 : cheveu, chevelure
이 : Particule qui indique l'objet d'un état ou d'une situation, ou le sujet d'une action.
까맣다 : tout noir
-아요 : (forme honorifique non formelle) Terminaison finale pour décrire un fait ou pour indiquer une question, un ordre ou une recommandation. <description>

(126) 많다 [manta]

nombreux, abondant, riche, plein, rempli

(Nombre, quantité, degré, etc.) Qui est au-delà d'un critère donné.

저는 호기심이 많아요.
jeoneun hogisimi manayo.

저+는 호기심+이 많+아요.

저 : moi, je
는 : Particule indiquant qu'un objet est le principal sujet (de conversation) d'une phrase.
호기심 : curiosité
이 : Particule qui indique l'objet d'un état ou d'une situation, ou le sujet d'une action.
많다 : nombreux, abondant, riche, plein, rempli
-아요 : (forme honorifique non formelle) Terminaison finale pour décrire un fait ou pour indiquer une question, un ordre ou une recommandation. <description>

(127) 부족하다 [bujokada]

déficient, imparfait, incomplet

Qui est insuffisant ou inférieur à la quantité ou au niveau requis.

사업을 하기에 돈이 많이 부족해요.
saeobeul hagie doni mani bujokaeyo.

사업+을 하+기+에 돈+이 많이 부족하+여요.
부족해요

사업 : projet

을 : Particule indiquant un objet directement influencé par un acte.

하다 : faire, exécuter, effectuer, s'occuper de

-기 : Terminaison attribuant la fonction de nom à la proposition précédente.

에 : Particule utilisée pour indiquer que la proposition précédente est la condition, le milieu ou l'état de quelque chose.

돈 : argent, argent comptant, monnaie, espèces, pièce de monnaie, fonds

이 : Particule qui indique l'objet d'un état ou d'une situation, ou le sujet d'une action.

많이 : beaucoup

부족하다 : déficient, imparfait, incomplet

-여요 : (forme honorifique non formelle) Terminaison finale pour décrire un fait ou pour indiquer une question, un ordre ou une recommandation. <description>

(128) 적다 [jeokda]

peu nombreux, insuffisant, peu abondant, rare

(Nombre, quantité, degré, etc.) Qui est au-dessus d'un critère donné.

배고픈데 음식 양이 너무 <u>적어요</u>.

baegopeunde eumsik yangi neomu jeogeoyo.

<u>배고프+ㄴ데</u> 음식 양+이 너무 적+어요.
  배고픈데

배고프다 : avoir faim

-ㄴ데 : Terminaison connective indiquant qu'afin de formuler les propos suivants, le locuteur parle à l'avance d'une situation en rapport avec l'objet de ces propos.

음식 : le boire et le manger

양 : quantité, dose, volume, portion, ration

이 : Particule qui indique l'objet d'un état ou d'une situation, ou le sujet d'une action.

너무 : trop, excessivement, à l'excès, avec excès, outre mesure, démesurément

적다 : peu nombreux, insuffisant, peu abondant, rare

-어요 : (forme honorifique non formelle) Terminaison finale pour décrire un fait ou pour indiquer une question, un ordre ou une recommandation. <description>

(129) 낫다 [natda]

l'emporter sur, valoir mieux, prévaloir, être préférable

Qui est meilleur qu'une autre chose.

몸이 아플 때에는 쉬는 것이 제일 <u>나아요</u>.
momi apeul ttaeeneun swineun geosi jeil naayo.

몸+이 <u>아프</u>+[ㄹ 때]+에+는 쉬+[는 것]+이 제일 <u>낫(나)</u>+아요.
　　　　　아플 때에는　　　　　　　　　　**나아요**

몸 : corps, physique, constitution, stature
이 : Particule qui indique l'objet d'un état ou d'une situation, ou le sujet d'une action.
아프다 : malade
-ㄹ 때 : Expression indiquant le moment pendant lequel une action a lieu ou une situation se produit, ou cette période, ou le cas où une telle chose arrive.
에 : Particule indiquant que la proposition précédente (en coréen) est l'heure ou le moment.
는 : Particule indiquant qu'un objet est le principal sujet (de conversation) d'une phrase.
쉬다 : (se) reposer, se délasser, prendre du repos, faire une pause, se relaxer, se décontracter
-는 것 : Expression permettant d'utiliser un groupe non nominal comme un nom dans une phrase ou de l'utiliser avec '이다'.
이 : Particule qui indique l'objet d'un état ou d'une situation, ou le sujet d'une action.
제일 : Le(la) plus+adj parmi plusieurs.
낫다 : l'emporter sur, valoir mieux, prévaloir, être préférable
-아요 : (forme honorifique non formelle) Terminaison finale pour décrire un fait ou pour indiquer une question, un ordre ou une recommandation. <description>

(130) 분명하다 [bunmyeonghada]

certain, sûr, net

Dont l'apparence ou la voix n'est pas vague, mais claire.

크고 <u>분명한</u> 목소리로 말해 주세요.
keugo bunmyeonghan moksoriro malhae juseyo.

크+고 <u>분명하</u>+ㄴ 목소리+로 말하+[여 주]+세요.
　　　분명한　　　　　　　**말해 주세요**

크다 : fort
-고 : Terminaison connective utilisée pour énumérer deux faits égaux ou plus.
분명하다 : certain, sûr, net
-ㄴ : Terminaison donnant la fonction de déterminant à la proposition précédente et exprimant l'état présent.
목소리 : voix, ton, ton de la voix
로 : Particule indiquant la méthode ou la manière de faire quelque chose.

말하다 : parler, dire

-여 주다 : Expression indiquant le fait d'effectuer l'action exprimée par les propos précédents pour autrui.

-세요 : (forme honorifique non formelle) Terminaison finale pour indiquer une explication, une interrogation, un ordre ou une demande. <demande>

(131) 심하다 [simhada]

grave, sévère, sérieux

D'un niveau exagéré.

감기에 심하게 걸렸어요.

gamgie simhage geollyeosseoyo.

감기+에 심하+게 걸리+었+어요.
걸렸어요

감기 : coup de froid, rhume, rhinite, grippe

에 : Particule indiquant que la proposition précédente est l'objet d'une action ou d'un sentiment.

심하다 : grave, sévère, sérieux

-게 : Terminaison connective indiquant que les propos précédents constituent l'objectif, le résultat, la méthode ou le degré des propos qui suivent.

걸리다 : tomber (malade), contracter, attraper (une maladie), être atteint (d'une maladie)

-었- : Terminaison indiquant une situation où un évènement a eu lieu dans le passé ou que le résultat de cet évènement se poursuit jusqu'à présent.

-어요 : (forme honorifique non formelle) Terminaison finale pour décrire un fait ou pour indiquer une question, un ordre ou une recommandation. <description>

(132) 알맞다 [almatda]

adéquat, approprié, juste

Qui est conforme à un certain critère, à une certaine condition ou à un certain degré et donc qui ne présente ni excès ni manque.

물 온도가 목욕하기에 딱 알맞아요.

mul ondoga mogyokagie ttak almajayo.

물 온도+가 목욕하+기+에 딱 알맞+아요.

물 : eau, liquide

온도 : température

가 : Particule qui indique l'objet d'un état ou d'une situation, ou le sujet d'une action.

목욕하다 : se baigner, prendre son bain

-기 : Terminaison attribuant la fonction de nom à la proposition précédente.

에 : Particule utilisée pour indiquer que la proposition précédente est la condition, le milieu ou l'état de quelque chose.

딱 : parfaitement

알맞다 : adéquat, approprié, juste

-아요 : (forme honorifique non formelle) Terminaison finale pour décrire un fait ou pour indiquer une question, un ordre ou une recommandation. <description>

(133) 적당하다 [jeokdanghada]

adéquat, approprié, juste, convenable, bon

Qui convient à une norme, à une condition ou à un niveau.

하루 수면 시간은 일곱 시간 정도가 <u>적당해요</u>.

haru sumyeon siganeun ilgop sigan jeongdoga jeokdanghaeyo.

하루 수면 시간+은 일곱 시간 정도+가 <u>적당하+여요</u>.

적당해요

하루 : un jour, une journée

수면 : sommeil

시간 : heures, moment, temps

은 : Particule indiquant qu'un objet est le principal sujet (de conversation) d'une phrase.

일곱 : (de) sept

시간 : Nom dépendant servant d'unité de temps indiquant l'une des vingt-quatre divisions qui forment un jour.

정도 : (n) environ

가 : Particule qui indique l'objet d'un état ou d'une situation, ou le sujet d'une action.

적당하다 : adéquat, approprié, juste, convenable, bon

-여요 : (forme honorifique non formelle) Terminaison finale pour décrire un fait ou pour indiquer une question, un ordre ou une recommandation. <description>

(134) 정확하다 [jeonghwakada]

exact

Qui est correct et précis.

<u>정확한</u> 한국어 발음을 하고 싶어요.
jeonghwakan hangugeo bareumeul hago sipeoyo.

<u>정확하</u>+ㄴ 한국어 발음+을 하+[고 싶]+어요.
　정확한

정확하다 : exact
-ㄴ : Terminaison donnant la fonction de déterminant à la proposition précédente et exprimant l'état présent.
한국어 : coréen, langue coréenne
발음 : prononciation
을 : Particule indiquant un objet directement influencé par un acte.
하다 : faire, exécuter, effectuer, s'occuper de
-고 싶다 : Expression utilisée pour montrer le désir à vouloir faire l'action de la proposition précédente.
-어요 : (forme honorifique non formelle) Terminaison finale pour décrire un fait ou pour indiquer une question, un ordre ou une recommandation. <description>

(135) 중요하다 [jungyohada]

important, grave, sérieux

Qui est précieux et absolument indispensable.

살을 <u>뺄</u> 때는 운동이 <u>중요해요</u>.
sareul ppael ttaeneun undongi jungyohaeyo.

살+을 <u>빼</u>+[ㄹ 때]+는 운동+이 <u>중요하</u>+여요.
　　　뺄 때는　　　　　　중요해요

살 : chair
을 : Particule indiquant un objet directement influencé par un acte.
빼다 : faire perdre
-ㄹ 때 : Expression indiquant le moment pendant lequel une action a lieu ou une situation se produit, ou cette période, ou le cas où une telle chose arrive.
는 : Particule indiquant qu'un objet est le principal sujet (de conversation) d'une phrase.
운동 : exercice, exercice physique
이 : Particule qui indique l'objet d'un état ou d'une situation, ou le sujet d'une action.
중요하다 : important, grave, sérieux
-여요 : (forme honorifique non formelle) Terminaison finale pour décrire un fait ou pour indiquer une question, un ordre ou une recommandation. <description>

(136) 진하다 [jinhada]

corsé, serré, épais

(Liquide) Qui n'est pas léger mais concentré.

커피가 너무 진해요.

keopiga neomu jinhaeyo.

커피+가 너무 진하+여요.
진해요

커피 : café
가 : Particule qui indique l'objet d'un état ou d'une situation, ou le sujet d'une action.
너무 : trop, excessivement, à l'excès, avec excès, outre mesure, démesurément
진하다 : corsé, serré, épais
-여요 : (forme honorifique non formelle) Terminaison finale pour décrire un fait ou pour indiquer une question, un ordre ou une recommandation. <description>

(137) 충분하다 [chungbunhada]

suffisant

Qui est suffisant sans manquer de rien.

저는 이 빵 하나면 충분해요.

jeoneun i ppang hanamyeon chungbunhaeyo.

저+는 이 빵 하나+이+면 충분하+여요.
하나면   충분해요

저 : moi, je
는 : Particule indiquant qu'un objet est le principal sujet (de conversation) d'une phrase.
이 : ce (cet, cette, ces)
빵 : pain
하나 : un
이다 : Particule du cas prédicatif pour indiquer la caractéristique ou la catégorie d'un objet qui se rapporte au sujet d'une phrase.
-면 : Terminaison connective indiquant une chose qui constitue le fondement ou la condition des propos suivants.
충분하다 : suffisant

-여요 : (forme honorifique non formelle) Terminaison finale pour décrire un fait ou pour indiquer une question, un ordre ou une recommandation. <description>

필수(obligatoire)

문법(règle de grammaire)

1. 모음 : 사람이 목청을 울려 내는 소리로, 공기의 흐름이 방해를 받지 않고 나는 소리.

voyelle

Chez l'homme, son résultant de la vibration des cordes vocales sous l'effet du libre écoulement du flux d'air expiré.

(1) ㅏ : 한글 자모의 열다섯째 글자. 이름은 '아'이고 중성으로 쓴다.

Quinzième lettre de l'alphabet coréen, appelée « a » et en position intermédiaire à l'écrit dans une syllabe.

(2) ㅑ : 한글 자모의 열여섯째 글자. 이름은 '야'이고 중성으로 쓴다.

Seizième lettre de l'alphabet coréen, appelée « ya » et en position intermédiaire à l'écrit dans une syllabe.

(3) ㅓ : 한글 자모의 열일곱째 글자. 이름은 '어'이고 중성으로 쓴다.

Dix-septième lettre de l'alphabet coréen, appelée « eo » et en position intermédiaire à l'écrit dans une syllabe.

(4) ㅕ : 한글 자모의 열여덟째 글자. 이름은 '여'이고 중성으로 쓴다.

Dix-huitième lettre de l'alphabet coréen, appelée « yeo » et en position intermédiaire à l'écrit dans une syllabe.

(5) ㅗ : 한글 자모의 열아홉째 글자. 이름은 '오'이고 중성으로 쓴다.

Dix-neuvième lettre de l'alphabet coréen, appelée « o » et en position intermédiaire à l'écrit dans une syllabe.

(6) ㅛ : 한글 자모의 스무째 글자. 이름은 '요'이고 중성으로 쓴다.

Vingtième lettre de l'alphabet coréen, appelée « yo » et en position intermédiaire à l'écrit dans une syllabe.

(7) ㅜ : 한글 자모의 스물한째 글자. 이름은 '우'이고 중성으로 쓴다.

Vingt-et-unième lettre de l'alphabet coréen, appelée « u » et en position intermédiaire à l'écrit dans une syllabe.

(8) ㅠ : 한글 자모의 스물두째 글자. 이름은 '유'이고 중성으로 쓴다.

Vingt-deuxième lettre de l'alphabet coréen, appelée « yu » et en position intermédiaire à l'écrit dans une syllabe.

(9) ㅡ : 한글 자모의 스물셋째 글자. 이름은 '으'이고 중성으로 쓴다.

Vingt-troisième lettre de l'alphabet coréen, appelée « eu » et en position intermédiaire à l'écrit dans une syllabe.

(10) ㅣ : 한글 자모의 스물넷째 글자. 이름은 '이'이고 중성으로 쓴다.

Vingt-quatrième lettre de l'alphabet coréen, appelée « i » et en position intermédiaire à l'écrit dans une syllabe.

(11) ㅚ : 한글 자모 'ㅗ'와 'ㅣ'를 모아 쓴 글자. 이름은 '외'이고 중성으로 쓴다.

Combinaison des lettres 'ㅗ' et 'ㅣ' de l'alphabet coréen, appelée « we » et en position intermédiaire à l'écrit dans une syllabe.

(12) ㅟ : 한글 자모 'ㅜ'와 'ㅣ'를 모아 쓴 글자. 이름은 '위'이고 중성으로 쓴다.

Combinaison des lettres 'ㅜ' et 'ㅣ' de l'alphabet coréen, appelée « wi » et en position intermédiaire à l'écrit dans une syllabe.

(13) ㅐ : 한글 자모 'ㅏ'와 'ㅣ'를 모아 쓴 글자. 이름은 '애'이고 중성으로 쓴다.

Combinaison des lettres 'ㅏ' et 'ㅣ' de l'alphabet coréen, appelée « ae » et en position intermédiaire à l'écrit dans une syllabe.

(14) ㅔ : 한글 자모 'ㅓ'와 'ㅣ'를 모아 쓴 글자. 이름은 '에'이고 중성으로 쓴다.

Combinaison des lettres 'ㅓ' et 'ㅣ' de l'alphabet coréen, appelée « e » et en position intermédiaire à l'écrit dans une syllabe.

(15) ㅒ : 한글 자모 'ㅑ'와 'ㅣ'를 모아 쓴 글자. 이름은 '얘'이고 중성으로 쓴다.

Combinaison des lettres 'ㅑ' et 'ㅣ' de l'alphabet coréen, appelée « yae » et en position intermédiaire à l'écrit dans une syllabe.

(16) ㅖ : 한글 자모 'ㅕ'와 'ㅣ'를 모아 쓴 글자. 이름은 '예'이고 중성으로 쓴다.

Combinaison des lettres 'ㅕ' et 'ㅣ' de l'alphabet coréen, appelée « ye » et en position intermédiaire à l'écrit dans une syllabe.

(17) ㅘ : 한글 자모 'ㅗ'와 'ㅏ'를 모아 쓴 글자. 이름은 '와'이고 중성으로 쓴다.

Combinaison des lettres 'ㅗ' et 'ㅏ' de l'alphabet coréen, appelée « wa » et en position intermédiaire à l'écrit dans une syllabe.

(18) ㅝ : 한글 자모 'ㅜ'와 'ㅓ'를 모아 쓴 글자. 이름은 '워'이고 중성으로 쓴다.

Combinaison des lettres 'ㅜ' et 'ㅓ' de l'alphabet coréen, appelée « woe » et en position intermédiaire à l'écrit dans une syllabe.

(19) ㅙ : 한글 자모 'ㅗ'와 'ㅐ'를 모아 쓴 글자. 이름은 '왜'이고 중성으로 쓴다.

Combinaison des lettres 'ㅗ' et 'ㅐ' de l'alphabet coréen, appelée « wae » et en position intermédiaire à l'écrit dans une syllabe.

(20) ㅞ : 한글 자모 'ㅜ'와 'ㅔ'를 모아 쓴 글자. 이름은 '웨'이고 중성으로 쓴다.

Combinaison des lettres 'ㅜ' et 'ㅔ' de l'alphabet coréen, appelée « we » et en position intermédiaire à l'écrit dans une syllabe.

(21) ㅢ : 한글 자모 'ㅡ'와 'ㅣ'를 모아 쓴 글자. 이름은 '의'이고 중성으로 쓴다.

Combinaison des lettres 'ㅡ' et 'ㅣ' de l'alphabet coréen, appelée « eui » et en position intermédiaire à l'écrit dans une syllabe.

| ㅏ | ㅕ | ㅗ | ㅜ | ㅡ | ㅣ | ㅒ | ㅖ | ㅚ | ㅟ |

| ㅑ | ㅕ | ㅛ | ㅠ | ㅒ | ㅖ | ㅘ | ㅝ | ㅙ | ㅞ | ㅢ |

$$ㅣ + ㅏ = ㅑ \qquad ㅣ + ㅓ = ㅕ \qquad ㅣ + ㅗ = ㅛ \qquad ㅣ + ㅜ = ㅠ$$

$$ㅗ + ㅏ = ㅘ \qquad ㅜ + ㅓ = ㅝ \qquad ㅗ + ㅐ = ㅙ \qquad ㅜ + ㅔ = ㅞ$$

$$ㅡ + ㅣ = ㅢ$$

ㅏ	ㅑ	ㅓ	ㅕ	ㅗ	ㅛ	ㅜ	ㅠ	ㅡ	ㅣ
a	ya	eo	yeo	o	yo	u	yu	eu	i

ㅐ	ㅔ	ㅒ	ㅖ	ㅙ	ㅞ	ㅚ	ㅟ	ㅘ	ㅝ	ㅢ
ae	e	yae	ye	wae	we	oe	wi	wa	wo	ui

2. 자음 : 목, 입, 혀 등의 발음 기관에 의해 장애를 받으며 나는 소리.

consonne
Son produit lorsque l'air est gêné ou bloqué par un organe vocal tel que la gorge, la bouche et la langue.

(1) ㄱ : 한글 자모의 첫째 글자. 이름은 기역으로 소리를 낼 때 혀뿌리가 목구멍을 막는 모양을 본떠 만든 글자이다.

Première lettre de l'alphabet coréen, appelée « giyeok », imitant la forme de la racine de la langue au moment où elle est bloquée dans la gorge à la prononciation.

(2) ㄴ : 한글 자모의 둘째 글자. 이름은 '니은'으로 소리를 낼 때 혀끝이 윗잇몸에 붙는 모양을 본떠 만든 글자이다.

Deuxième lettre de l'alphabet coréen, appelée « nieun », imitant la forme de la langue au moment où elle touche la gencive supérieure.

(3) ㄷ : 한글 자모의 셋째 글자. 이름은 '디귿'으로, 소리를 낼 때 혀의 모습은 'ㄴ'과 같지만 더 세게 발음되므로 한 획을 더해 만든 글자이다.

Troisième lettre de l'alphabet coréen, appelée « digeut » et créée en ajoutant un trait à la lettre 'ㄴ', car la forme de la langue au moment de la prononciation est la même que pour cette dernière, mais avec un son plus fort.

(4) ㄹ : 한글 자모의 넷째 글자. 이름은 '리을'로 혀끝을 윗잇몸에 가볍게 대었다가 떼면서 내는 소리를 나타낸다.

Quatrième lettre de l'alphabet coréen, appelée « lieul », dont le son se produit quand le bout de la langue touche légèrement la gencive supérieure et s'en sépare.

(5) ㅁ : 한글 자모의 다섯째 글자. 이름은 '미음'으로, 소리를 낼 때 다물어지는 두 입술 모양을 본떠서 만든 글자이다.

Cinquième lettre de l'alphabet coréen, appelée « mieum », imitant la forme des lèvres qui se ferment quand on la prononce.

(6) ㅂ : 한글 자모의 여섯째 글자. 이름은 '비읍'으로, 소리를 낼 때의 입술 모양은 'ㅁ'과 같지만 더 세게 발음되므로 'ㅁ'에 획을 더해서 만든 글자이다.

Sixième lettre de l'alphabet coréen, appelée "bieup". Lorsqu'on la prononce, la forme des lèvres est similaire à celle de 'ㅁ' mais le son est plus fort, et donc la lettre contient un trait de plus.

(7) ㅅ : 한글 자모의 일곱째 글자. 이름은 '시옷'으로 이의 모양을 본떠서 만든 글자이다.

Septième lettre de l'alphabet coréen, appelée « siot », imitant la forme des dents.

(8) ㅇ : 한글 자모의 여덟째 글자. 이름은 '이응'으로 목구멍의 모양을 본떠서 만든 글자이다. 초성으로 쓰일 때 소리가 없다.

Huitième lettre de l'alphabet coréen, appelée « ieung » et imitant la forme d'une gorge. C'est un son muet lorsqu'elle est utilisée comme son consonantique initial.

(9) ㅈ : 한글 자모의 아홉째 글자. 이름은 '지읒'으로, 'ㅅ'보다 소리가 더 세게 나므로 'ㅅ'에 한 획을 더해 만든 글자이다.

Neuvième lettre de l'alphabet coréen, appelée « jieut », élaborée en ajoutant un trait à la lettre « siot» ('ㅅ') du fait qu'elle produit un son plus fort que cette dernière.

(10) ㅊ : 한글 자모의 열째 글자. 이름은 '치읓'으로 '지읒'보다 소리가 거세게 나므로 '지읒'에 한 획을 더해서 만든 글자이다.

Dixième lettre de l'alphabet coréen, appelée « chieut ». Lorsqu'on la prononce, la forme des lèvres est similaire à celle de 'ㅈ' mais le son est plus intense, donc la lettre contient un trait de plus.

(11) ㅋ : 한글 자모의 열한째 글자. 이름은 '키읔'으로 'ㄱ'보다 소리가 거세게 나므로 'ㄱ'에 한 획을 더하여 만든 글자이다.

Onzième lettre de l'alphabet coréen, appelée « khieuk ». Lorsqu'on la prononce, la forme des lèvres est similaire à celle de 'ㄱ' mais le son est plus intense, donc la lettre contient un trait de plus.

(12) ㅌ : 한글 자모의 열두째 글자. 이름은 '티읕'으로, 'ㄷ'보다 소리가 거세게 나므로 'ㄷ'에 한 획을 더하여 만든 글자이다.

Douzième lettre de l'alphabet coréen, appelée « tieut ». Lorsqu'on la prononce, la forme des lèvres est similaire à celle de 'ㄷ' mais le son est plus intense, donc la lettre contient un trait de plus.

(13) ㅍ : 한글 자모의 열셋째 글자. 이름은 '피읖'으로, 'ㅁ, ㅂ'보다 소리가 거세게 나므로 'ㅁ'에 획을 더하여 만든 글자이다.

Treizième lettre de l'alphabet coréen, appelée « phieup ». Lorsqu'on la prononce, la forme des lèvres est similaire à celle de 'ㅁ, ㅂ' mais le son est plus intense, donc la lettre contient plus de traits que 'ㅁ'.

(14) ㅎ : 한글 자모의 열넷째 글자. 이름은 '히읗'으로, 이 글자의 소리는 목청에서 나므로 목구멍을 본떠 만든 'ㅇ'의 경우와 같지만 'ㅇ'보다 더 세게 나므로 'ㅇ'에 획을 더하여 만든 글자이다.

Quatorzième lettre de l'alphabet coréen, appelée « hieut ». Lorsqu'on la prononce, la forme de la gorge est similaire à celle de 'ㅇ' mais le son est plus intense, donc la lettre contient un trait de plus.

(15) ㄲ : 한글 자모 'ㄱ'을 겹쳐 쓴 글자. 이름은 쌍기역으로, 'ㄱ'의 된소리이다.

Lettre de l'alphabet coréen composée de deux 'ㄱ', appelée « ssang giyeok », donnant un son plus fort que le 'ㄱ' simple.

(16) ㄸ : 한글 자모 'ㄷ'을 겹쳐 쓴 글자. 이름은 쌍디귿으로, 'ㄷ'의 된소리이다.

Lettre de l'alphabet coréen composée de deux 'ㄷ', appelée « ssang digeut », donnant un son plus fort que le 'ㄷ' simple.

(17) ㅃ : 한글 자모 'ㅂ'을 겹쳐 쓴 글자. 이름은 쌍비읍으로, 'ㅂ'의 된소리이다.

Lettre de l'alphabet coréen composée de deux 'ㅂ', appelée « ssang bieup », donnant un son plus fort que le 'ㅂ' simple.

(18) ㅆ : 한글 자모 'ㅅ'을 겹쳐 쓴 글자. 이름은 쌍시옷으로, 'ㅅ'의 된소리이다.

Lettre de l'alphabet coréen composée de deux 'ㅅ', produisant un son plus fort que celui-ci et appelé « ssang siot ».

(19) ㅉ : 한글 자모 'ㅈ'을 겹쳐 쓴 글자. 이름은 쌍지읒으로, 'ㅈ'의 된소리이다.

Lettre de l'alphabet coréen composée de deux 'ㅈ', produisant un son plus intense que celui-ci et appelé « ssang jieut ».

ㄱ	ㄴ	ㄷ	ㄹ	ㅁ	ㅂ	ㅅ	ㅇ	ㅈ	ㅊ	ㅋ	ㅌ	ㅍ	ㅎ
g,k	n	d,t	r,l	m	b,p	s	ng	j	ch	k	t	p	h

ㄲ	ㄸ	ㅃ	ㅆ	ㅉ
kk	tt	pp	ss	jj

ㄱ	ㄴ	ㄷ	ㄹ	ㅁ	ㅂ	ㅅ	ㅇ	ㅈ		ㅎ
ㅋ		ㅌ			ㅍ			ㅊ		
ㄲ		ㄸ			ㅃ	ㅆ		ㅉ		

3. 음절 : 모음, 모음과 자음, 자음과 모음, 자음과 모음과 자음이 어울려 한 덩어리로 내는 말소리의 단위.

syllabe
Unité de parole qu'on prononce comme un ensemble pour une voyelle toute seule, une voyelle et une consonne, une consonne et une voyelle, ou une consonne, une voyelle et une consonne.

1) 모음(voyelle)

   예 (exemple) : 아, 어, 오, 우……

2) 자음(consonne) + 모음(voyelle)

   예 (exemple) : 가, 도, 루, 슈……

3) 모음(voyelle) + 자음(consonne)

   예 (exemple) : 악, 얌, 임, 윤……

4) 자음(consonne) + 모음(voyelle) + 자음(consonne)

   예 (exemple) : 각, 남, 당, 균……

	ㄱ	ㄴ	ㄷ	ㄹ	ㅁ	ㅂ	ㅅ	ㅇ	ㅈ	ㅊ	ㅋ	ㅌ	ㅍ	ㅎ
ㅏ	가	나	다	라	마	바	사	아	자	차	카	타	파	하
ㅓ	거	너	더	러	머	버	서	어	저	처	커	터	퍼	허
ㅗ	고	노	도	로	모	보	소	오	조	초	코	토	포	호
ㅜ	구	누	두	루	무	부	수	우	주	추	쿠	투	푸	후
ㅡ	그	느	드	르	므	브	스	으	즈	츠	크	트	프	흐
ㅣ	기	니	디	리	미	비	시	이	지	치	키	티	피	히
ㅐ	개	내	대	래	매	배	새	애	재	채	캐	태	패	해
ㅔ	게	네	데	레	메	베	세	에	제	체	케	테	페	헤
ㅚ	괴	뇌	되	뢰	뫼	뵈	쇠	외	죄	최	쾨	퇴	푀	회
ㅟ	귀	뉘	뒤	뤼	뮈	뷔	쉬	위	쥐	취	퀴	튀	퓌	휘
ㅑ	갸	냐	댜	랴	먀	뱌	샤	야	쟈	챠	캬	탸	퍄	햐
ㅕ	겨	녀	뎌	려	며	벼	셔	여	져	쳐	켜	텨	펴	혀
ㅛ	교	뇨	됴	료	묘	뵤	쇼	요	죠	쵸	쿄	툐	표	효
ㅠ	규	뉴	듀	류	뮤	뷰	슈	유	쥬	츄	큐	튜	퓨	휴
ㅒ	걔	냬	댸	럐	먜	뱨	섀	얘	쟤	챼	컈	턔	퍠	햬
ㅖ	계	녜	뎨	례	몌	볘	셰	예	졔	쳬	켸	톄	폐	혜
ㅘ	과	놔	돠	롸	뫄	봐	솨	와	좌	촤	콰	톼	퐈	화
ㅝ	궈	눠	둬	뤄	뭐	붜	숴	워	줘	춰	쿼	퉈	풔	훠
ㅙ	괘	놰	돼	뢔	뫠	봬	쇄	왜	좨	쵀	쾌	퇘	퐤	홰
ㅞ	궤	눼	뒈	뤠	뭬	붸	쉐	웨	줴	췌	퀘	퉤	풰	훼
ㅢ	긔	늬	듸	릐	믜	븨	싀	의	즤	츼	킈	틔	픠	희

4. 품사 : 단어를 기능, 형태, 의미에 따라 나눈 갈래.

catégorie grammaticale, catégorie des mots
Catégorie de mots que l'on a distingués selon leur fonction, leur forme et leur sens.

• **체언** : 문장에서 명사, 대명사, 수사와 같이 문장의 주어나 목적어 등의 기능을 하는 말.

substantif
Mot fonctionnant comme le sujet ou l'objet de la phrase, comme un nom, un pronom ou un adjectif numéral.

• **용언** : 문법에서, 동사나 형용사와 같이 문장에서 서술어의 기능을 하는 말.

mot conjugable
En grammaire, mot qui joue le rôle d'un prédicat dans une phrase, comme un verbe ou un adjectif.

1) **본용언** : 문장의 주체를 주되게 서술하면서 보조 용언의 도움을 받는 용언.

mot conjugable principal
Mot qui est complété par un mot conjugable auxiliaire et qui s'utilise comme un prédicat pour faire d'un sujet de discours un élément principal de la phrase.

2) **보조 용언** : 본용언과 연결되어 그 뜻을 보충해 주는 용언.

mot auxiliaire conjugable (verbe et adjectif)
Mot conjugable (verbe ou adjectif) qui s'utilise avec un mot conjugable principal pour en compléter le sens.

• **수식언** : 문법에서, 관형어나 부사어와 같이 뒤에 오는 체언이나 용언을 꾸미거나 한정하는 말.

qualificatif
En grammaire, élément de phrase qui qualifie et détermine le substantif ou le prédicat qui suit, comme un déterminant ou un adverbe.

---

1. **명사** : 사물의 이름을 나타내는 품사.

nom, substantif
Partie du discours désignant le nom des choses.

2. **대명사** : 다른 명사를 대신하여 사람, 장소, 사물 등을 가리키는 낱말.

pronom
Mot qui remplace un nom pour désigner quelqu'un, quelque part, quelque chose, etc.

3. **수사** : 수량이나 순서를 나타내는 말.

  numéral
  Mot qui indique le nombre, la quantité et l'ordre de quelque chose.

4. **동사** : 사람이나 사물의 움직임을 나타내는 품사.

  verbe
  Catégorie lexicale exprimant un mouvement de l'homme ou d'un objet.

5. **형용사** : 사람이나 사물의 성질이나 상태를 나타내는 품사.

  adjectif
  Partie du discours servant à montrer la nature ou l'état de quelqu'un ou de quelque chose.

• **활용** : 문법적 관계를 나타내기 위해 용언의 꼴을 조금 바꿈.

  conjugaison
  Fait de changer légèrement un prédicat pour indiquer une relation grammaticale.

1) **규칙 활용** : 문법에서, 동사나 형용사가 활용을 할 때 어간의 형태가 변하지 않고 일반적인 어미가 붙어 변화하는 것.

  conjugaison régulière
  Dans une grammaire, fait qu'un verbe ou un adjectif se conjugue de manière régulière sans changement de radical.

2) **불규칙 활용** : 문법에서, 동사나 형용사가 활용을 할 때 어간의 형태가 변하거나 예외적인 어미가 붙어 변화하는 것.

  conjugaison irrégulière
  En grammaire, fait que lorsque l'on conjugue un verbe ou un adjectif, son radical change ou que que sa forme change si attaché à un suffixe flexionnel exceptionnel.

활용(conjugaison) 형태(forme)	어간(radical) + 어미(suffixe flexionnel)	불규칙(irrégularité) 부분(partie)	불규칙 용언(mot à flexion irrégulière)
물어	묻- + -어	묻- → 물-	싣다, 붇다, 일컫다…
지어	짓- + -어	짓- → 지-	젓다, 붓다, 잇다…
누워	눕- + -어	눕- → 누우	줍다, 굽다, 깁다…
흘러	흐르- + -어	흐르- → 흘ㄹ	부르다, 타오르다, 누르다…
하얘	하양- + -아	-양어- → 얘	빨갛다, 까맣다, 뽀얗다…

1) **어간** : 동사나 형용사가 활용할 때에 변하지 않는 부분.

    radical
    Partie invariable, lorsqu'on conjugue un verbe ou un adjectif.

2) **어미** : 용언이나 '-이다'에서 활용할 때 형태가 달라지는 부분.

    suffixe flexionnel, terminaison, désinence
    Partie dont la forme change lorsqu'on l'utilise dans une forme conjuguée ou dans la terminaison "이다".

    ① **어말 어미** : 동사, 형용사, 서술격 조사가 활용될 때 맨 뒤에 오는 어미.

        suffixe flexionnel final
        Terminaison qui arrive à la fin d'un verbe, d'un adjectif ou d'un particule prédicatif conjugué.

        ㉠ **종결 어미** : 한 문장을 끝맺는 기능을 하는 어말 어미.

            suffixe flexionnel terminatif
            Terminaison finale servant à terminer une phrase.

        ㉡ **전성 어미** : 동사나 형용사의 어간에 붙어 동사나 형용사가 명사, 관형사, 부사와 같은 다른 품사의 기능을 가지도록 하는 어미.

            suffixe flexionnel
            (qui fait changer la catégorie grammaticale d'un verbe ou d'un adjectif)
            Suffixe flexionnel collé au radical d'un verbe ou d'un adjectif, et qui permet à ces derniers d'avoir la fonctionnalité d'une autre catégorie grammaticale comme un nom, un déterminant ou un adverbe.

        ㉢ **연결 어미** : 어간에 붙어 다음 말에 연결하는 기능을 하는 어미.

            terminaison connective, suffixe flexionnel, suffixe connectif
            Terminaison connectée à un radical servant à relier ce qui précède à ce qui suit

    ② **선어말 어미** : 어말 어미 앞에 놓여 높임이나 시제 등을 나타내는 어미.

        suffixe flexionnel pré-final, terminaison pré-finale
        Terminaison située devant une terminaison finale pour exprimer le style honorifique ou le temps.

어미 (suffixe flexionnel)			예 (exemple)	
어말 어미 (suffixe flexionnel final)	종결 어미 (suffixe flexionnel terminatif)	평서형 (forme narrative)	-다, -네, -ㅂ니다/습니다…	
		의문형 (forme interrogative)	-는가, -니, -ㄹ까…	
		감탄형 (forme exclamative)	-구나, -네…	
		명령형 (impératif)	-(으)세요, -어라/-아라/-여라	
		청유형 (Pas d'expression équivalente)	-자, -ㅂ시다/-읍시다, -세…	
	연결 어미 (terminaison connective)		-고, -며/으며, -지만, -거나, -어서, -려고/-으려고, -면/-으면…	
	전성 어미 [suffixe flexionnel (qui fait changer la catégorie grammaticale d'un verbe ou d'un adjectif)]	명사형 어미 (suffixe substantif)	-ㅁ/-음, -기	
		관형사형 어미 (suffixe flexionnel déterminatif)	과거 (passé)	-ㄴ/-은
			현재 ((n.) présent)	-는
			미래 (futur)	-ㄹ/-을
			중단/반복 (interruption/répétition)	-던
		부사형 어미 (suffixe adverbial)	-게, -도록, -듯이, -이	
선어말 어미 (suffixe flexionnel pré-final)	주체(sujet) 높임(honorifique)		-시-/-으시-	
	시제 (temps)		과거 (passé)	-았-/-었-/-였-
			현재 ((n.) présent)	-ㄴ-/-는-
			미래 (futur)	-ㄹ-/-을-
			회상 (réflexion)	-더-

※ **청유형** : 말하는 사람이 듣는 사람에게 어떤 것을 같이 하자고 요청하는 뜻을 나타내는 종결 어미가 붙는, 동사의 활용형.

Pas d'expression équivalente
Forme de conjugaison finissant par un suffixe signifiant que le locuteur demande à un interlocuteur de faire quelque chose ensemble.

6. **관형사** : 체언 앞에 쓰여 그 체언의 내용을 꾸며 주는 기능을 하는 말.

   déterminant, qualificatif, épithète
   Mot précédant un substantif dans une phrase, dont la fonction est de qualifier ce substantif.

7. **부사** : 주로 동사나 형용사 앞에 쓰여 그 뜻을 분명하게 하는 말.

   adverbe
   Mot qui se place généralement avant un verbe ou un adjectif pour en préciser le sens.

8. **조사** : 명사, 대명사, 수사, 부사, 어미 등에 붙어 그 말과 다른 말과의 문법적 관계를 표시하거나 그 말의 뜻을 도와주는 품사.

   particule
   Catégorie lexicale, attachée à un nom, un pronom, un adjectif numéral, un adverbe, une terminaison, etc., pour indiquer la relation grammaticale entre ce dernier et un autre mot ou pour préciser son sens.

   1) **격 조사** : 명사나 명사구 뒤에 붙어 그 말이 서술어에 대하여 가지는 문법적 관계를 나타내는 조사.

      Pas d'expression équivalente
      Particule indiquant le rapport grammatical vis-à-vis d'un prédicat qui s'agglutine derrière un nom ou un syntagme nominal.

      ① **주격 조사** : 문장에서 서술어에 대한 주어의 자격을 표시하는 조사.

         particule du cas sujet
         Particule marquant le cas sujet d'un prédicat dans une phrase.

      ② **목적격 조사** : 문장에서 서술어에 대한 목적어의 자격을 표시하는 조사.

         particule accusative
         Particule indiquant la fonction d'objet par rapport au prédicat correspondant dans une phrase.

      ③ **서술격 조사** : 문장 안에서 체언이나 체언 구실을 하는 말 뒤에 붙어 이들을 서술어로 만드는 격 조사.

         particule du cas prédicatif
         Particule casuelle qui donne une fonction prédicative en s'attachant derrière un substantif ou un mot jouant le rôle de substantif dans une phrase.

④ **보격 조사** : 문장 안에서, 체언이 서술어의 보어임을 표시하는 격 조사.

particule complémentaire
Particule casuelle indiquant que le substantif est le complément du prédicat dans une phrase.

⑤ **관형격 조사** : 문장 안에서 앞에 오는 체언이 뒤에 오는 체언을 꾸며 주는 구실을 하게 하는 조사.

particule déterminative
Dans une phrase, particule qui permet au premier substantif de qualifier le deuxième qui vient après.

⑥ **부사격 조사** : 문장 안에서, 체언이 서술어에 대하여 장소, 도구, 자격, 원인, 시간 등과 같은 부사로서의 자격을 가지게 하는 조사.

Pas d'expression équivalente
Dans une phrase, particule qui attribue à un substantif le rôle d'un adverbe exprimant le lieu, l'outil, la qualité, la cause, le temps, etc. par rapport à son prédicat.

⑦ **호격 조사** : 문장에서 체언이 독립적으로 쓰여 부르는 말의 역할을 하게 하는 조사.

particule vocative
Particule servant à faire jouer le rôle vocatif au nom utilisé indépendamment dans la phrase.

2) **보조사** : 체언, 부사, 활용 어미 등에 붙어서 특별한 의미를 더해 주는 조사.

particule auxiliaire
Particule qui s'ajoute à un mot (substantif, adverbe, désinence verbale, etc.) pour lui donner un sens particulier.

3) **접속 조사** : 두 단어를 이어 주는 기능을 하는 조사.

particule conjonctive
Particule dont le rôle est de relier deux mots.

격 조사 (Pas d'expression équivalente)	주격 조사 (particule du cas sujet)	이/가, 께서, 에서
	목적격 조사 (particule accusative)	을/를
	보격 조사 (particule complémentaire)	이/가
	부사격 조사 (Pas d'expression équivalente)	에, 에서, 에게, 한테, 께, (으)로, (으)로서, (으)로써, 와/과, 하고, (이)랑, 처럼, 만큼, 같이, 보다
	관형격 조사 (particule déterminative)	의
	서술격 조사 (particule du cas prédicatif)	이다
	호격 조사 (particule vocative)	아, 야, 이시여
보조사 (particule auxiliaire)	은/는, 만, 도, 까지, 부터, 마저, 조차, 밖에…	
접속 조사 (particule conjonctive)	와/과, 하고, (이)랑, (이)며	

9. **감탄사** : 느낌이나 부름, 응답 등을 나타내는 말의 품사.

exclamatif
Catégorie lexicale employée pour exprimer un sentiment, un appel, une réponse, etc.

5. 문장 성분 : 주어, 서술어, 목적어 등과 같이 한 문장을 구성하는 요소.

élément d'une phrase
Constituant d'une phrase tel qu'un sujet, un prédicat, un objectif, etc.

1. 주어 : 문장의 주요 성분의 하나로, 주로 문장의 앞에 나와서 동작이나 상태의 주체가 되는 말.

sujet
Groupe de mot constituant l'un des éléments principaux de la phrase qui, placé la plupart du temps au début de celle-ci, est le sujet d'une action ou d'un état.

1) 체언 + 주격 조사 : substantif + particule du cas sujet

2) 체언 + 보조사 : substantif + particule auxiliaire

2. 목적어 : 타동사가 쓰인 문장에서 동작의 대상이 되는 말.

objet, complément d'objet
Mot qui devient l'objet d'une action dans une phrase où est employé un verbe transitif.

1) 체언 + 목적격 조사 : substantif + particule accusative

2) 체언 + 보조사 : substantif + particule auxiliaire

3. 서술어 : 문장에서 주어의 성질, 상태, 움직임 등을 나타내는 말.

prédicat
Dans une phrase, mot qui exprime le caractère, l'état, le mouvement, etc. du sujet.

1) 용언 종결형 : mot conjugable forme de terminaison

2) 체언 + 서술격 조사 '이다' : substantif + particule du cas prédicatif '이다'

4. 보어 : 주어와 서술어만으로는 뜻이 완전하지 못할 때 보충하여 문장의 뜻을 완전하게 하는 문장 성분.

complément
Elément qui complète le sens d'une phrase lorsque le sujet et le prédicat seuls ne permettent pas de le faire.

1) 체언 + 보격 조사 : substantif + particule complémentaire

2) 체언 + 보조사 : substantif + particule auxiliaire

5. **관형어** : 체언 앞에서 그 내용을 꾸며 주는 문장 성분.

déterminant, épithète, adjectif
Elément d'une phrase, placé devant un substantif, et qui lui donne une qualification.

1) 관형사 : déterminant

2) 체언 + 관형격 조사 '의' : substantif + particule déterminative '의'

3) 용언 어간 + 관형사형 어미 '-은/ㄴ, -는, -을/ㄹ, -던'

  : mot conjugable radical + suffixe flexionnel déterminatif '-은/ㄴ, -는, -을/ㄹ, -던'

6. **부사어** : 문장 안에서, 용언의 뜻을 분명하게 하는 문장 성분.

adverbe
Dans une phrase, mot qui clarifie le sens d'un verbe.

1) 부사 : adverbe

2) 부사 + 보조사 : adverbe + particule auxiliaire

3) 용언 어간 + 부사형 어미 '-게' : mot conjugable radical + suffixe adverbial '-게'

7. **독립어** : 문장의 다른 성분과 밀접한 관계없이 독립적으로 쓰는 말.

mot indépendant
Mot qui s'utilise d'une manière indépendante sans aucun rapport avec les autres éléments de la phrase en question.

1) 감탄사 : exclamatif

2) 체언 + 호격 조사 : substantif + particule vocative

6. 어순 : 한 문장 안에서 주어, 목적어, 서술어 등의 문장 성분이 나오는 순서.

ordre des mots

Ordre de disposition des composants d'une phrase, comme le sujet, l'objet, le prédicat, etc.

1) 주어 + 서술어(자동사)

sujet + prédicat(verbe intransitif)

예 (exemple) : 바람이 불어요.

2) 주어 + 서술어(형용사)

sujet + prédicat(adjectif)

예 (exemple) : 날씨가 좋아요.

3) 주어 + 서술어(체언+서술격 조사 '이다')

sujet + prédicat(substantif+particule du cas prédicatif '이다')

예 (exemple) : 이것이 책상이다.

4) 주어 + 목적어 + 서술어(타동사)

sujet + objet + prédicat(verbe transitif)

예 (exemple) : 친구가 밥을 먹어요.

5) 주어 + 목적어 + 필수 부사어 + 서술어(타동사)

sujet + objet + obligatoire adverbe + prédicat(verbe transitif)

예 (exemple) : 어머니께서 용돈을 나에게 주셨다.

1) <u>체언(명사/대명사/수사)이/가</u> + <u>형용사 어간어미</u>
     <주어>   <서술어>

2) <u>체언이/가</u> + <u>체언을/를</u> + <u>타동사 어간어미</u>
     <주어>   <목적어>   <서술어>

7. 띄어쓰기 : 글을 쓸 때, 각 낱말마다 띄어서 쓰는 일. 또는 그것에 관한 규칙.

écriture qui respecte l'espace entre les mots
Quand on écrit, action d'espacer les mots : cette règle.

1) 체언조사 (띄어쓰기) 용언 어간어미

   substantifparticule (띄어쓰기) mot conjugable radicalsuffixe flexionnel

   예 (exemple) : 밥을 (띄어쓰기) 먹어요

2) 관형사 (띄어쓰기) 명사

   déterminant (띄어쓰기) nom

   예 (exemple) : 새 (띄어쓰기) 옷

3) 용언 어간관형사형 어미 '-은/-ㄴ, -는, -을/-ㄹ, -던' (띄어쓰기) 명사

   mot conjugable radicalsuffixe flexionnel déterminatif '-은/-ㄴ, -는, -을/-ㄹ, -던
   (띄어쓰기) nom

   예 (exemple) : 기다리는 (띄어쓰기) 사람 / 좋은 (띄어쓰기) 사람

4) 형용사 어간부사형 어미 '-게' (띄어쓰기) 용언 어간어미

   adjectif radicalsuffixe adverbial '-게' (띄어쓰기) mot conjugable radicalsuffixe flexionnel

   예 (exemple) : 행복하게 (띄어쓰기) 살자

5) 명사인 (띄어쓰기) 명사

   nom인 (띄어쓰기) nom

   예 (exemple) : 대학생인 (띄어쓰기) 친구

8. 문장 부호 : 문장의 뜻을 정확히 전달하고, 문장을 읽고 이해하기 쉽도록 쓰는 부호.

symbole d'une phrase
Symbole servant à faciliter la transmission exacte de la signification, la lecture et la compréhension d'une phrase.

1) 마침표 (.) : 문장을 끝맺거나 연월일을 표시하거나 특정한 의미가 있는 날을 표시하거나 장, 절, 항 등을 표시하는 문자나 숫자 다음에 쓰는 문장 부호.

point, point final
Signe de ponctuation utilisé après une lettre ou un chiffre pour terminer une phrase, pour indiquer l'année, le mois et le jour, ou encore un jour particulier ou un chapitre, un verset, un alinéa, etc.

2) 물음표 (?) : 의심이나 의문을 나타내거나 적절한 말을 쓰기 어렵거나 모르는 내용임을 나타낼 때 쓰는 문장 부호.

point d'interrogation
Signe de ponctuation utilisé pour exprimer un doute ou une interrogation, lorsqu'on ne sait pas quel mot choisir exactement ou pour indiquer qu'il s'agit d'un contenu qu'on ne sait pas.

3) 느낌표 (!) : 강한 느낌을 표현할 때 문장 마지막에 쓰는 문장 부호 '!'의 이름.

point d'exclamation
Nom du signe de ponctuation « ! » utilisé à la fin d'une phrase pour exprimer un sentiment fort.

4) 쉼표 (,) : 어구를 나열하거나 문장의 연결 관계를 나타내는 문장 부호.

virgule
Signe de ponctuation servant à énumérer des locutions ou à marquer des liens de connexion dans une phrase.

5) 줄임표 (……) : 할 말을 줄였을 때나 말이 없음을 나타낼 때에 쓰는 문장 부호.

points de suspension
Symbole de ponctuation utilisé lorsque des propos sont réduits ou pour indiquer le fait qu'il n'y a plus rien à ajouter.

< 참고(prise en compte) 문헌(références) >

고려대학교 한국어대사전, 고려대학교 민족문화연구원, 2009
우리말샘, 국립국어원, 2016
표준국어대사전, 국립국어원, 1999
한국어교육 문법 자료편, 한글파크, 2016
한국어 교육학 사전, 하우, 2014
한국어기초사전, 국립국어원, 2016
한국어 문법 총론 Ⅰ, 집문당, 2015

HANPUK

한국어 동사 290 형용사 137 français(traduction)

발   행 | 2024년 6월 10일
저   자 | 주식회사 한글2119연구소
펴낸이 | 한건희
펴낸곳 | 주식회사 부크크
출판사등록 | 2014.07.15.(제2014-16호)
주   소 | 서울특별시 금천구 가산디지털1로 119 SK트윈타워 A동 305호
전   화 | 1670-8316
이메일 | info@bookk.co.kr

ISBN | 979-11-410-8874-3